SOMMAIRE

Avant d'aborder l'œuvre

Carmen

Prosper Mérimée

Pour approfondir

Petits Classiques
LAROUSSE

Collection fondée par Félix Guirand,
Agrégé des Lettres

Carmen

Mérimée

Nouvelle

Édition présentée,
annotée et commentée
par Laurent Susini,
ancien élève de l'École normale supérieure,
maître de conférences
à l'université Paris-IV Sorbonne

ISBN : 978-2-03-583908-4

AVANT D'ABORDER L'ŒUVRE

AVANT D'ABORDER L'ŒUVRE

Fiche d'identité de l'auteur

Mérimée

Nom : Prosper Mérimée.

Naissance : le 28 septembre 1803 à Paris.

Famille : bourgeoisie parisienne cultivée. Mère artiste-peintre ; et père professeur de dessin à l'École polytechnique, puis secrétaire-adjoint de l'École des beaux-arts.

Formation : études au lycée impérial Napoléon (actuel lycée Henri-IV), puis licence de droit à Paris (1823).

Début de la carrière littéraire : rédaction d'une tragédie en prose sur Cromwell (aujourd'hui perdue) et d'un roman, *La Bataille* (dont ne subsiste qu'un épisode). En 1824, publication, dans le journal *Le Globe*, de quatre articles non signés consacrés au théâtre espagnol.

Premiers succès : deux supercheries littéraires (*Le Théâtre de Clara Gazul*, 1825, et *La Guzla*, 1827).

Évolution de la carrière : d'abord un roman historique (*Chronique du temps de Charles IX*, 1829) et toute une série de nouvelles très différentes les unes des autres (*Mateo Falcone*, 1829 ; *Les Âmes du purgatoire*, 1834 ; *La Vénus d'Ille*, 1836 ; *Colomba*, 1840 ; *Carmen*, 1845), avec, en parallèle, la rédaction de notes de voyages (*Notes d'un voyage dans le pays de la France*, 1835 ; *Notes d'un voyage en Corse*, 1840) et d'essais historiques (*Le Duc de Guise*, 1835 ; *Études sur l'histoire romaine*, 1844) ; puis à partir de 1846, brusque ralentissement de l'activité du nouvelliste, Mérimée se consacrant essentiellement à des travaux d'érudition et de traduction ; enfin, pendant les trois dernières années de sa vie, derniers feux de son œuvre de fiction *(Djoûmane, Lokis)*.

Mort : le 23 septembre 1870, accablé par la défaite de Sedan et par l'effondrement de l'Empire.

Pour ou contre Mérimée ?

Pour

Charles BAUDELAIRE :

« C'était la même froideur apparente, légèrement affectée, le même manteau de glace recouvrant une pudique sensibilité et une ardente passion pour le bien et pour le beau. »

La vie et l'œuvre de Delacroix.

Barbey d'AUREVILLY :

« Il fut peut-être le seul sobre dans cette littérature enivrée. »

Contre

André GIDE :

« Je retrouve cette insupportable impression de devoir réussi et de perfection inutile qui m'exaspère d'ordinaire chaque fois que je rouvre Mérimée. »

Journal.

Victor HUGO :

« Pas un coteau, des prés maigres, peu de gazon ; / Et j'ai pour tout plaisir de voir à l'horizon / Un groupe de toits bas d'où sort une fumée, / Le paysage étant plat comme Mérimée. »

Toute la lyre.

Repères chronologiques

Vie et œuvre de Prosper Mérimée	*Événements politiques et culturels*
1803 Naissance à Paris.	**1802** Chateaubriand, *René*.
1820-1823 Études de droit.	**1804** Fin du Consulat et début du premier Empire.
1822 Rencontre avec Stendhal. Début d'une vie mondaine brillante dans les salons parisiens.	**1814** Première Restauration.
1825 *Théâtre de Clara Gazul.*	**1815** **Waterloo. Seconde Restauration : Louis XVIII redevient roi de France.**
1827 *La Guzla*, dédiée à Goethe.	**1816** Benjamin Constant, *Adolphe*.
1829 *Mateo Falcone.*	**1820** Lamartine, *Méditations poétiques.* Walter Scott, *Ivanhoé*.
1830 Premier voyage en Espagne.	**1821** Mort de Napoléon.
1831 *Quatre lettres d'Espagne.* Premiers pas dans la carrière de haut fonctionnaire.	**1824** Mort de Louis XVIII et avènement de Charles X.
1834 **Nommé inspecteur des monuments historiques. Début d'une longue période de tournées d'inspection en province.**	**1830** Révolution de Juillet (les « Trois Glorieuses »), et fuite de Charles X. Louis-Philippe Ier proclamé « roi des Français » par la Chambre des députés. Stendhal, *Le Rouge et le Noir*.
1839 Voyage en Corse et en Italie.	**1834** Musset, *Lorenzaccio*.
1840 Voyage en Espagne. *Notes d'un voyage en Corse. Colomba*.	**1848** **Révolution de Février, et création de la IIe République. Louis Napoléon Bonaparte, président de la République.**
1841 Voyage en Orient. *Constantinople en 1403*.	

Repères chronologiques

Vie et œuvre de Prosper Mérimée	*Événements politiques et culturels*
1844 Élection à l'Académie française.	**1850** Loi Falloux sur l'enseignement.
1845 *Carmen.*	**1851** Coup d'État (2 décembre). Nerval, *Voyage en Orient*.
1849 Traduction de Pouchkine, *La Dame de Pique*.	**1852** Napoléon III empereur. Restriction de la liberté de la presse.
1850 Échec, au Théâtre-Français, du *Carrosse du Saint-Sacrement*.	**1853** Victor Hugo, *Les Châtiments*.
1851 *La Littérature en Russie. Nicolas Gogol.*	**1857** Flaubert, *Madame Bovary*. Baudelaire, *Les Fleurs du mal*. Mort de Musset.
1853 Invité aux fêtes de la cour impériale et nommé sénateur. Nouveau séjour en Espagne.	**1859** Mistral, *Mireille*.
1854-1868 Incessants voyages en Europe et séjours réguliers sur la Côte d'Azur.	**1862** Flaubert, *Salammbô*.
1857 Rencontre avec Tourgueneff.	**1864-1867** Mallarmé, *Hérodiade*.
1866 Promu grand officier de la Légion d'honneur.	**1869** Flaubert, *L'Éducation sentimentale*.
1869 *Lokis.*	**1870** **Défaite des armées napoléoniennes à Sedan. Capitulation de l'empereur et proclamation de la IIIe République.**
1870 Mort à Cannes, le 23 septembre. Œuvres posthumes : *La Chambre bleue, Djoûmane*.	

Fiche d'identité de l'œuvre

Carmen

Auteur :
Prosper Mérimée ; âgé de 42 ans, il vient d'être élu à l'Académie française et occupe depuis 8 ans les fonctions de secrétaire de la Commission des monuments historiques.

Genre : nouvelle.

Forme : récit en prose.

Structure : quatre chapitres de longueur inégale.

Principaux personnages : Carmen, une belle et mystérieuse bohémienne ; Don José, un bandit de grand chemin ; le narrateur, un archéologue de passage en Espagne.

Sujet : lors de recherches archéologiques qu'il mène en Espagne, un homme avide d'aventures rencontre un jour don José, un bandit de grand chemin avec qui il finit par sympathiser, et dont il favorise l'évasion avant l'arrivée des gendarmes. Une semaine après, le même don José trouve l'occasion de l'en remercier en le sauvant des mains de Carmen la Gitane, une jeune cigarière dont le naïf archéologue avait fait la connaissance, et qui s'était employée à le séduire en vue de le dépouiller. Le narrateur retrouve enfin don José quelques mois plus tard, la veille de son exécution, et le bandit lui raconte comment son amour pour Carmen a fini par causer sa perte.

Pour ou contre Carmen ?

Pour

Valéry LARBAUD :

« L'effet ne commence qu'une fois la lecture achevée. [Mérimée] a dessiné sèchement, presque pauvrement, les attitudes de ses personnages, raconté très vite ce qu'ils ont fait, et puis il les a escamotés, la plupart du temps tués, supprimés [...] Mais c'est alors qu'ils commencent à vivre. »

Préface de Carmen, 1927.

Contre

SAINTE-BEUVE :

« Je viens de lire *Carmen* de Mérimée. C'est bien, mais sec, dur, sans développement. [...] Quand Mérimée atteint son effet, c'est par un coup si brusque, si court, que cela a toujours l'air d'une attrape. [...] Vlan ! On n'a pas le temps de voir si c'est beau. Le style de Mérimée a un truc qui n'est qu'à lui ; mais ce n'est pas du grand art ni du grand naturel. Le vrai naturel est autrement large et libre que cela. »

Cahiers intimes.

Pour mieux lire l'œuvre

✣ Au temps de Mérimée

Après la Restauration : la monarchie de Juillet

Carmen est écrite en 1845, trois ans avant la fin de la monarchie de Juillet. Ce régime politique était né quinze années plus tôt sur les cendres de la seconde Restauration, à la suite des trois journées révolutionnaires de juillet 1830 (dites les Trois Glorieuses). Marquée par la personnalité du roi Louis-Philippe, la monarchie de Juillet s'était initialement présentée comme un régime de rupture, à travers lequel il s'agissait d'en finir avec les orientations réactionnaires du règne de Charles X et de renoncer à toute tentative de rétablir l'Ancien Régime. De ce point de vue, la généalogie du nouveau roi parlait à elle seule : Louis-Philippe était le fils de Louis-Philippe d'Orléans, ce Philippe Égalité qui avait voté, sous la Révolution française, la mort de son cousin Louis XVI. À la différence de ses prédécesseurs, surtout, Louis-Philippe n'avait pas été proclamé « roi de France », mais « roi des Français » : à travers lui, la souveraineté de droit divin avait donc été remplacée par la souveraineté nationale, conformément aux vœux des libéraux et de Mérimée lui-même, qui, en 1830, partageait leur vision. À l'heure de *Carmen*, pourtant, pouvait-on considérer la rupture de la monarchie de Juillet avec l'esprit de la Restauration aussi nette qu'on aurait pu s'y attendre quinze ans plus tôt ?

Une révolution anticléricale

En matière religieuse, sans doute. Le précédent roi Charles X était un catholique ardent. Son sacre à Reims et le vote, sous son règne, d'une loi rendant passible de la peine de mort tout profanateur d'hosties consacrées avaient été vécus comme autant de provocations par les camps libéraux et socialistes. En réaction, si Montlosier se risqua dès 1826 à dénoncer l'influence du « parti prêtre » (comprenons, celle des réseaux catholiques) sur la politique royale, ce fut plus nettement une révolution anticléricale que déclencha, peu après, la monarchie de Juillet. De cette révolution, *Carmen* témoigne à sa manière : rapidement croqué, le Dominicain du chapitre 2 y apparaît l'objet d'un portrait tranquillement féroce, où Mérimée ne s'attache à faire valoir la bonhomie du religieux que pour mieux suggérer son absence d'humanité. Cette hostilité de l'auteur envers son personnage peut se comprendre comme le symptôme d'une époque de plus en plus sensible au discours de la libre-pensée. Ne serait-ce que pendant les Trois Glorieuses, la cathédrale Notre-Dame de Paris se trouve mise à sac et de nombreux prêtres sont lynchés. Par la suite, cette vague d'anticléricalisme continue à déferler sur la France, et la situation ne semble d'ailleurs pas déplaire à Louis-Philippe lui-même : un tel phénomène n'aurait pas été concevable sous le règne précédent.

Le règne d'une bourgeoisie affairiste et conformiste

Cette évolution mise à part, cependant, les différentes attentes suscitées par l'arrivée au trône de Louis-Philippe furent rapidement trompées. Il n'en va pas ici que de la duplicité d'un roi s'appliquant à donner de lui une image amène et bourgeoise, mais manifestant dans les faits un autoritarisme outrancier. Plus profondément, les élites de la Restauration ne sont guère renouvelées sous la monarchie de Juillet, et, en dépit des effets d'annonce, les postes clés de l'État sont demeurés, comme auparavant, aux mains de la grande bourgeoisie. De plus, les gouvernements successifs ont fini par manifester leur entière soumission au jeu capricieux de la Bourse. L'affairisme est devenu roi, la morale politique et civile s'est réduite à celle des intérêts, et le fameux « Enrichissez-vous par le travail et par l'épargne » prononcé par Guizot s'est imposé comme le nouveau mot d'ordre d'un régime dont la corruption n'a cessé d'éclater au grand jour. C'est ainsi que, libéral des années 1830, Mérimée finit par revenir, comme beaucoup d'autres, de ses illusions sur la monarchie de Juillet. Telle qu'il la décrit en 1847 à madame de Montijo, « c'est une magnifique anarchie de quatre cent cinquante-neuf épiciers qui prétendent gouverner chacun de leur côté et pour les intérêts particuliers ». Dès lors, ce dégoût pour une société conformiste entièrement acquise au dieu Profit ne pouvait que raviver chez l'auteur son intérêt de toujours pour les marges, les hors-la-loi et les aventuriers. Cet intérêt, Mérimée l'avait développé dès son enfance en dévorant les biographies de Cartouche, de Mandrin et de divers flibustiers ; et il l'avait entretenu par la suite, tant par l'intermédiaire de ses voyages qu'à travers sa lecture passionnée des œuvres de Walter Scott (*Ivanohé*, 1819), ou, très peu avant *Carmen*, d'Eugène Sue (*Les Mystères de Paris*, 1842-1843) et de Vidocq (*Les Vrais Mystères de Paris*, 1844). En plaçant l'action de *Carmen* non seulement dans le milieu des Bohémiens, peuple affranchi par excellence, mais encore dans une Espagne alors livrée au brigandage en raison d'un contexte politique des plus troublés, Mérimée ne pouvait exprimer plus clairement sa soif d'évasion et son besoin de fuir l'univers étriqué de la monarchie de Juillet.

L'Espagne dans la France romantique de 1845

L'Espagne, du reste, était alors très en vogue de l'autre côté des Pyrénées. La France avait redécouvert ce pays à partir de 1804, à la faveur des campagnes napoléoniennes, puis par l'intermédiaire de divers récits de voyages (dont *L'Itinéraire descriptif de l'Espagne* de Laborde, 1807-1820, et le *Voyage en Espagne « tra los montes »* de Théophile Gautier, 1843). Après avoir touché la plupart des romantiques français (Victor Hugo et ses *Orientales* de 1828, Alfred de Musset et ses *Contes d'Espagne et d'Italie* de 1830), l'engouement pour l'Espagne avait gagné la France entière, tout particulièrement séduite, aux environs de 1840, par le pittoresque des danses andalouses et par l'exotisme piquant de la peinture espagnole. À l'heure de *Carmen*, de plus, Mérimée connaissait bien l'Espagne pour l'avoir déjà parcourue deux fois, d'abord en 1830 puis en 1840 ; et il en connaissait bien la culture pour y avoir, dès 1824, consacré plusieurs études très documentées (concernant aussi bien l'œuvre de Cervantès ou l'art dramatique espagnol, que le spectacle de la corrida). Ces deux facteurs expliquent le réalisme des descriptions dans *Carmen* et leur distance vis-à-vis des stéréotypes et des « espagnolades » de rigueur dans la France de 1845. Telle que la fantasmaient les contemporains de Mérimée, en effet, l'Espagne était alors peuplée de brigands chevaleresques, dont les vies étaient toujours flamboyantes et le comportement toujours sublime. Rien de tel dans *Carmen* : sacrifiant les clichés à l'âpre vérité de la peinture, Mérimée fuit dans cette œuvre tout éclat trompeur. Les hors-la-loi y ont très clairement sa sympathie, certes, mais la vie des brigands et celle de don José lui-même n'en sont pas moins données pour ce qu'elles sont : sordides et misérables. Mérimée témoigne en cela d'une volonté sensible de liquider l'héritage romantique dans lequel la France de 1840 n'en finissait pas de puiser. « Dans notre jeunesse », avoue Mérimée dans ses *Portraits historiques et littéraires*, « nous avions été choqués de la fausse sensibilité de Rousseau et de ses imitateurs [...]. Nous voulions être forts et nous nous moquions de la sensiblerie ». En 1845, *Carmen* témoigne ainsi du ralliement mériméen à une esthétique alors à contre-courant : une esthétique classique, « convergente » et privilégiant enfin une action simple et vraie, morale ou non, mais avant tout fondée sur l'étude des mœurs et des caractères. On ne s'étonnera pas, dans ces conditions, que l'œuvre ait pu déplaire aux Français de 1845, et que sa sortie ait pu être étouffée par une critique hostile, aussi rebutée par le caractère scandaleux du sujet choisi que par la troublante modernité de son traitement.

L'essentiel

Carmen exprime un puissant besoin d'ailleurs, loin de l'air confiné d'un régime étouffant. Chez Mérimée, l'ouverture sur l'Espagne n'est pas au principe d'un exotisme facile. Loin des clichés romantiques, *Carmen* impose une esthétique réaliste qui fait sa force et son originalité.

✣ L'œuvre aujourd'hui

Carmen nous séduit aujourd'hui par ce qui nous apparaît comme la profonde modernité de ses thèmes et de son esthétique. En tant que récit, l'œuvre évoque avant tout une haletante série noire, ou un formidable *road movie* qui se déroulerait dans un paysage sans âge de western : deux amants criminels constamment en cavale y traversent les terres brûlées de l'Espagne, toujours traqués par la police et toujours confrontés aux différents obstacles qui s'opposent à leur amour. Il y a du *Bonnie and Clyde* dans *Carmen*, et du *Sailor et Lula* : l'amour ne s'y vit que dans la transgression et que dans la violence. Surtout, chaque épisode et chaque évocation de l'héroïne en femme fatale viennent y flatter notre fascination moderne pour le Mal, en sorte que ce qui apparaissait scandaleux à la critique de 1845 semble aujourd'hui préfigurer avec génie les différents canons d'un genre dont les codes nous sont devenus familiers. Œuvre au noir trempée dans le sang, *Carmen* nous interpelle encore par la modernité avec laquelle l'auteur y traite son sujet. Nulle longueur et nul débordement lyrique : les épisodes s'enchaînent brusquement, sèchement, suivant un montage des plus serrés ne laissant guère de place aux sentiments des personnages, et moins encore au pathétique. L'action est ainsi livrée sans fioritures et presque sans commentaires : tendant vers l'épure, le classicisme de Mérimée annonce, dès 1845, la nervosité de l'écriture behavioriste d'aujourd'hui, privilégiant, dans la grande lignée d'un Hemingway ou d'un Manchette, l'observation des comportements à l'étude des consciences, et l'enregistrement brut du réel à son interprétation.

L'essentiel

Entre série noire et scénario génial de *road movie*, *Carmen* s'impose aujourd'hui par la modernité de son sujet (le Mal lui-même) et de sa narration.

Costume de Lila de Nobili pour *Carmen*, opéra de Georges Bizet inspiré par la nouvelle de Mérimée.

Carmen

Mérimée

Πᾶσα γυνὴ χόλος ἐστὶν· ἔχει δ’ ἀγαθάς δύο ὥρας,
Τὴν μίαν ἐν θαλάμῳ, τὴν μίαν ἐν θανάτῳ

PALLADAS[1]

Nouvelle éditée pour la première fois en 1845

1. **Palladas** : poète grec du Ve siècle, dont Mérimée a traduit l'épigramme en grec : « La femme est amère comme le fiel, et ses seuls bons moments sont dans un lit puis dans la tombe ».

Décor de Émile Bertin pour *Carmen*, spectacle de Henri Meilhac (1875) inspiré par la nouvelle de Mérimée.
Compositeur, Georges Bizet.

I

PALLADAS[1]

J'AVAIS toujours soupçonné les géographes de ne savoir ce qu'ils disent lorsqu'ils placent le champ de bataille de Munda[2] dans le pays des Bastuli-Pœni près de la moderne Monda, à quelque deux lieues au nord de Marbella[3]. D'après mes propres conjectures sur le texte de l'anonyme, auteur du *Bellum Hispaniense*[4], et quelques renseignements recueillis dans l'excellente bibliothèque du duc d'Osuna[5], je pensais qu'il fallait chercher aux environs de Montilla[6] le lieu mémorable où, pour la dernière fois, César joua quitte ou double contre les champions[7] de la république. Me trouvant en Andalousie au commencement de l'automne de 1830, je fis une assez longue excursion pour éclaircir les doutes qui me restaient encore. Un mémoire[8] que je publierai prochainement ne laissera plus, je l'espère, aucune incertitude dans l'esprit de tous les archéologues de bonne foi. En attendant que ma dissertation résolve enfin le problème géographique qui tient toute l'Europe savante en suspens, je veux vous raconter une petite histoire ; elle ne préjuge rien sur l'intéressante question de l'emplacement de Munda.

---

1. **Palladas :** poète grec du Ve siècle, dont Mérimée a traduit l'épigramme en grec, « La femme est amère comme le fiel, et ses seuls bons moments sont dans un lit puis dans la tombe ».
2. **Bataille de Munda :** bataille que Jules César mena, en 45 avant Jésus-Christ, contre les deux fils de Pompée, Cnéius et Sextus Pompée, et dont l'issue victorieuse assura son pouvoir.
3. **Marbella :** petit port situé entre Gibraltar et Málaga.
4. ***Bellum Hispaniense :*** *La Guerre d'Espagne* est un des cinq ouvrages traditionnellement attribués à César et rassemblés sous le nom de *Commentaires*. Cependant, l'identité de son véritable auteur est encore inconnue.
5. **Bibliothèque du duc d'Osuna :** les Osuna sont une grande famille espagnole, dont la bibliothèque se trouve à Madrid.
6. **Montilla :** ville située au sud de Cordoue.
7. **Les champions :** les défenseurs.
8. **Un mémoire :** un court traité adressé à une société savante.

Chapitre I

J'avais loué à Cordoue un guide et deux chevaux, et m'étais mis en campagne avec les *Commentaires de César* et quelques chemises pour tout bagage. Certain jour, errant dans la partie élevée de la plaine de Cachena[1], harassé de fatigue, mourant de soif, brûlé par un soleil de plomb, je donnais au diable[2] de bon cœur César et les fils de Pompée, lorsque j'aperçus, assez loin du sentier que je suivais, une petite pelouse verte parsemée de joncs et de roseaux. Cela m'annonçait le voisinage d'une source. En effet, en m'approchant, je vis que la prétendue pelouse était un marécage où se perdait un ruisseau, sortant, comme il semblait, d'une gorge[3] étroite entre deux hauts contreforts[4] de la sierra de Cabra[5]. Je conclus qu'en remontant je trouverais de l'eau fraîche, moins de sangsues et de grenouilles, et peut-être un peu d'ombre au milieu des rochers. À l'entrée de la gorge, mon cheval hennit, et un autre cheval, que je ne voyais pas, lui répondit aussitôt. À peine eus-je fait une centaine de pas, que la gorge, s'élargissant tout à coup, me montra une espèce de cirque[6] naturel parfaitement ombragé par la hauteur des escarpements[7] qui l'entouraient. Il était impossible de rencontrer un lieu qui promît au voyageur une halte plus agréable. Au pied des rochers à pic, la source s'élançait en bouillonnant, et tombait dans un petit bassin tapissé d'un sable blanc comme la neige. Cinq à six beaux chênes verts, toujours à l'abri du vent et rafraîchis par la source, s'élevaient sur ses bords, et la couvraient de leur épais ombrage ; enfin, autour du bassin, une herbe fine, lustrée[8], offrait un lit meilleur qu'on n'en eût trouvé dans aucune auberge à dix lieues[9] à la ronde.

---

1. **Cachena :** en réalité, *Carchena*, petite rivière se jetant dans un affluent du Guadalquivir.
2. **Je donnais au diable :** je maudissais.
3. **Gorge :** vallée étroite et profonde, encaissée.
4. **Contreforts :** montagnes moins élevées jouxtant les massifs principaux.
5. **La sierra de Cabra :** une sierra est une chaîne de montagnes. La sierra de Cabra s'étend d'est en ouest au sud de Montilla.
6. **Cirque :** amphithéâtre naturel, dépression rocheuse aux parois abruptes.
7. **Escarpements :** versants en pente raide.
8. **Lustrée :** brillante.
9. **Dix lieues :** une lieue représente un peu plus de quatre kilomètres.

À moi n'appartenait pas l'honneur d'avoir découvert un si beau
45 lieu. Un homme s'y reposait déjà, et sans doute dormait, lorsque j'y pénétrai. Réveillé par les hennissements, il s'était levé, et s'était rapproché de son cheval, qui avait profité du sommeil de son maître pour faire un bon repas de l'herbe aux environs.

C'était un jeune gaillard, de taille moyenne, mais d'apparence
50 robuste, au regard sombre et fier. Son teint, qui avait pu être beau, était devenu, par l'action du soleil, plus foncé que ses cheveux. D'une main il tenait le licol[1] de sa monture[2], de l'autre une espingole de cuivre. J'avouerai que d'abord l'espingole[3] et l'air farouche[4] du porteur me surprirent quelque peu ; mais je ne croyais plus aux
55 voleurs, à force d'en entendre parler et de n'en rencontrer jamais. D'ailleurs, j'avais vu tant d'honnêtes fermiers s'armer jusqu'aux dents pour aller au marché, que la vue d'une arme à feu ne m'autorisait pas à mettre en doute la moralité de l'inconnu. « Et puis, me disais-je, que ferait-il de mes chemises et de mes *Commentaires*
60 Elzévir[5] ? » Je saluai donc l'homme à l'espingole d'un signe de tête familier, et je lui demandai en souriant si j'avais troublé son sommeil. Sans me répondre, il me toisa[6] de la tête aux pieds ; puis, comme satisfait de son examen, il considéra avec la même attention mon guide, qui s'avançait. Je vis celui-ci pâlir et s'arrêter
65 en montrant une terreur évidente. « Mauvaise rencontre ! » me dis-je. Mais la prudence me conseilla aussitôt de ne laisser voir aucune inquiétude. Je mis pied à terre ; je dis au guide de débrider[7], et, m'agenouillant au bord de la source, j'y plongeai ma tête et mes mains ; puis je bus une bonne gorgée, couché à plat ventre,
70 comme les mauvais soldats de Gédéon[8].

---

1. **Licol :** pièce du harnais placée autour du cou des animaux attelés, et servant à les attacher ou à les conduire.
2. **Sa monture :** son cheval.
3. **Espingole :** court fusil espagnol au canon évasé à son extrémité.
4. **Farouche :** sauvage.
5. **Elzévir :** nom d'une famille d'éditeurs et d'imprimeurs hollandais des XVIe et XVIIe siècles.
6. **Il me toisa :** il m'examina.
7. **Débrider :** ôter la bride.
8. **Les mauvais soldats de Gédéon :** allusion à un épisode de la Bible (Juges, VII, 5-7). Les mauvais soldats de Gédéon étaient ceux qui retardaient son armée, en s'arrêtant, pour boire, « les deux genoux en terre ».

J'observais cependant mon guide et l'inconnu. Le premier s'approchait bien à contrecœur ; l'autre semblait n'avoir pas de mauvais desseins contre nous, car il avait rendu la liberté à son cheval, et son espingole, qu'il tenait d'abord horizontale, était maintenant
75 dirigée vers la terre.

Ne croyant pas devoir me formaliser du peu de cas qu'on avait paru faire de ma personne[1], je m'étendis sur l'herbe, et d'un air dégagé[2] je demandai à l'homme à l'espingole s'il n'avait pas un briquet sur lui. En même temps je tirais mon étui à cigares. L'inconnu,
80 toujours sans parler, fouilla dans sa poche, prit son briquet, et s'empressa de me faire du feu. Évidemment il s'humanisait[3] ; car il s'assit en face de moi, toutefois sans quitter son arme. Mon cigare allumé, je choisis le meilleur de ceux qui me restaient, et je lui demandai s'il fumait.

85 « Oui, monsieur », répondit-il.

C'étaient les premiers mots qu'il faisait entendre, et je remarquai qu'il ne prononçait pas l'*s* à la manière andalouse[4], d'où je conclus que c'était un voyageur comme moi, moins archéologue seulement.

« Vous trouverez celui-ci assez bon », lui dis-je en lui présentant
90 un véritable régalia[5] de la Havane.

Il me fit une légère inclination de tête, alluma son cigare au mien, me remercia d'un autre signe de tête, puis se mit à fumer avec l'apparence d'un très grand plaisir.

« Ah ! s'écria-t-il en laissant échapper lentement sa première
95 bouffée par la bouche et les narines, comme il y avait longtemps que je n'avais fumé ! »

En Espagne, un cigare donné et reçu établit des relations d'hospitalité, comme en Orient le partage du pain et du sel. Mon homme

---

1. **Me formaliser du peu de cas qu'on avait paru faire de ma personne :** me vexer du peu d'importance qu'on avait paru m'accorder.
2. **Dégagé :** désinvolte.
3. **Il s'humanisait :** il devenait plus sociable, plus civilisé.
4. **Il ne prononçait pas l'*s* à la manière andalouse :** les Andalous aspirent l'*s*, et le confondent dans la prononciation avec le *c* doux et le *z*, que les Espagnols prononcent comme le *th* anglais. Sur le seul mot *señor*, on peut reconnaître un Andalou (note de Mérimée).
5. **Régalia :** cigare au tabac de qualité supérieure.

se montra plus causant que je ne l'avais espéré. D'ailleurs bien
100 qu'il se dît habitant du partido[1] de Montilla, il paraissait connaître le pays assez mal. Il ne savait pas le nom de la charmante vallée où nous nous trouvions ; il ne pouvait nommer aucun village des alentours ; enfin, interrogé par moi s'il[2] n'avait pas vu aux environs des murs détruits, de larges tuiles à rebords, des pierres sculptées,
105 il confessa qu'il n'avait jamais fait attention à pareilles choses. En revanche, il se montra expert en matière de chevaux. Il critiqua le mien, ce qui n'était pas difficile ; puis il me fit la généalogie du sien, qui sortait du fameux haras[3] de Cordoue : noble animal, en effet, si dur à la fatigue, à ce que prétendait son maître, qu'il avait
110 fait une fois trente lieues dans un jour, au galop ou au grand trot. Au milieu de sa tirade[4], l'inconnu s'arrêta brusquement, comme surpris et fâché d'en avoir trop dit. « C'est que j'étais très pressé d'aller à Cordoue, reprit-il avec quelque embarras. J'avais à solliciter les juges pour un procès... » En parlant, il regardait mon guide
115 Antonio, qui baissait les yeux.

L'ombre et la source me charmèrent tellement que je me souvins de quelques tranches d'excellent jambon que mes amis de Montilla avaient mises dans la besace de mon guide. Je les fis apporter, et j'invitai l'étranger à prendre sa part de la collation impromptue[5].
120 S'il n'avait pas fumé depuis longtemps, il me parut vraisemblable qu'il n'avait pas mangé depuis quarante-huit heures au moins. Il dévorait comme un loup affamé. Je pensai que ma rencontre avait été providentielle[6] pour le pauvre diable. Mon guide, cependant, mangeait peu, buvait encore moins, et ne parlait pas du tout, bien
125 que depuis le commencement de notre voyage il se fût révélé à moi comme un bavard sans pareil. La présence de notre hôte semblait le gêner, et une certaine méfiance les éloignait l'un de l'autre sans que j'en devinasse positivement[7] la cause.

---

1. **Partido :** arrondissement.
2. **Interrogé par moi s'il :** comme je lui demandais s'il.
3. **Haras :** établissement réservé à la sélection et à la reproduction des chevaux.
4. **Tirade :** long discours.
5. **Collation impromptue :** repas improvisé.
6. **Providentielle :** heureuse et inespérée.
7. **Positivement :** avec certitude.

Déjà les dernières miettes du pain et du jambon avaient disparu ; 130 nous avions fumé chacun un second cigare ; j'ordonnai au guide de brider[1] nos chevaux, et j'allais prendre congé de mon nouvel ami, lorsqu'il me demanda où je comptais passer la nuit.

Avant que j'eusse fait attention à un signe de mon guide, j'avais répondu que j'allais à la venta del Cuervo[2].

135 « Mauvais gîte[3] pour une personne comme vous, monsieur... J'y vais, et, si vous me permettez de vous accompagner, nous ferons route ensemble.

– Très volontiers », dis-je en montant à cheval.

Mon guide, qui me tenait l'étrier, me fit un nouveau signe des 140 yeux. J'y répondis en haussant les épaules, comme pour l'assurer que j'étais parfaitement tranquille, et nous nous mîmes en chemin.

Les signe mystérieux d'Antonio, son inquiétude, quelques mots échappés à l'inconnu, surtout sa course de trente lieues et l'explication peu plausible[4] qu'il en avait donnée, avaient déjà formé 145 mon opinion sur le compte de mon compagnon de voyage. Je ne doutai pas que je n'eusse affaire à un contrebandier, peut-être à un voleur ; que m'importait ? Je connaissais assez le caractère espagnol pour être très sûr de n'avoir rien à craindre d'un homme qui avait mangé et fumé avec moi. Sa présence même était une pro- 150 tection assurée contre toute mauvaise rencontre. D'ailleurs, j'étais bien aise[5] de savoir ce que c'est qu'un brigand. On n'en voit pas tous les jours, et il y a un certain charme à se trouver auprès d'un être dangereux, surtout lorsqu'on le sent doux et apprivoisé.

J'espérais amener par degrés[6] l'inconnu à me faire des confi- 155 dences, et, malgré les clignements d'yeux de mon guide, je mis la conversation sur les voleurs de grand chemin. Bien entendu que j'en parlai avec respect. Il y avait alors en Andalousie un fameux bandit nommé José Maria, dont les exploits étaient dans toutes les bouches. « Si j'étais à côté de José Maria ? » me disais-je... Je

---

1. **Brider :** passer la bride à.
2. **La venta del Cuervo :** l'auberge du Corbeau.
3. **Gîte :** logement.
4. **Plausible :** crédible.
5. **Bien aise :** bien content.
6. **Par degrés :** progressivement.

160 racontai les histoires que je savais de ce héros, toutes à sa louange d'ailleurs, et j'exprimai hautement mon admiration pour sa bravoure et sa générosité.

« José-Maria n'est qu'un drôle », dit froidement l'étranger.

« Se rend-il justice[1], ou bien est-ce excès de modestie de sa 165 part ? » me demandai-je mentalement ; car, à force de considérer mon compagnon, j'étais parvenu à lui appliquer le signalement de José Maria, que j'avais lu affiché aux portes de mainte ville d'Andalousie. « Oui, c'est bien lui... Cheveux blonds, yeux bleus, grande bouche, belles dents, les mains petites ; une chemise fine, une 170 veste de velours à boutons d'argent, des guêtres de peau blanche, un cheval bai[2]... Plus de doute ! Mais respectons son incognito. »

Nous arrivâmes à la venta. Elle était telle qu'il me l'avait dépeinte, c'est-à-dire une des plus misérables que j'eusse encore rencontrées. Une grande pièce servait de cuisine, de salle à manger et de chambre 175 à coucher. Sur une pierre plate, le feu se faisait au milieu de la chambre et la fumée sortait par un trou pratiqué dans le toit, ou plutôt s'arrêtait, formant un nuage à quelques pied au-dessus du sol. Le long du mur, on voyait étendues par terre cinq ou six vielles couvertures de mulets ; c'étaient les lits des voyageurs. 180 À vingt pas de la maison, ou plutôt de l'unique pièce que je viens de décrire, s'élevait une espèce de hangar servant d'écurie. Dans ce charmant séjour, il n'y avait d'autres êtres humains, du moins pour le moment, qu'une vielle femme et une petite fille de dix à douze ans, toutes les deux de couleur de suie et vêtues d'horribles 185 haillons. « Voilà tout ce qui reste, me dis-je, de la population de l'antique Munda Bœtica[3] ! Ô César ! ô Sextus Pompée ![4] que vous seriez surpris si vous reveniez au monde ! »

En apercevant mon compagnon, la vielle laissa échapper une exclamation de surprise.

190 « Ah ! seigneur don José ! » s'écria-t-elle.

---

1. **Se rend-il justice :** s'estime-t-il pour ce qu'il vaut ?
2. **Un cheval bai :** un cheval à la robe d'une couleur brun-rouge.
3. **Munda Bœtica :** littéralement, Munda de la Bétique. Actuelle Andalousie, la Bétique était, sous César et Pompée, une province romaine.
4. **Ô César ! ô Sextus Pompée ! :** les adversaires de la bataille de Munda.

Don José fronça le sourcil, et leva la main d'un geste d'autorité qui arrêta la vieille aussitôt. Je me tournai vers mon guide, et, d'un signe imperceptible je lui fis comprendre qu'il n'avait rien à m'apprendre sur le compte de l'homme avec qui j'allais passer la
195 nuit. Le souper fut meilleur que je ne m'y attendais. On nous servit, sur une petite table haute d'un pied, un vieux coq fricassé avec du riz et force piments, puis des piments à l'huile, enfin du *gazpacho*[1], espèce de salade de piments. Trois plats ainsi épicés nous obligèrent de recourir souvent à une outre[2] de vin de Montilla
200 qui se trouva délicieux[3]. Après avoir mangé, avisant[4] une mandoline accrochée contre la muraille – il y a partout des mandolines en Espagne –, je demandai à la petite fille qui nous servait si elle savait en jouer.

« Non, répondit-elle ; mais don José en joue si bien !
205 – Soyez assez bon, lui dis-je, pour me chanter quelque chose ; j'aime à la passion[5] votre musique nationale.
– Je ne puis rien refuser à un monsieur si honnête qui me donne de si excellents cigares », s'écria don José d'un air de bonne humeur...

Et, s'étant fait donner la mandoline, il chanta en s'accompagnant.
210 Sa voix était rude, mais pourtant agréable, l'air mélancolique et bizarre ; quant aux paroles, je n'en compris pas un mot.

« Si je ne me trompe, lui dis-je, ce n'est pas un air espagnol que vous venez de chanter. Cela ressemble aux *zorzicos*[6] que j'ai entendus dans les Provinces[7], et les paroles doivent être en langue basque.
215 – Oui », répondit don José d'un air sombre.

Il posa la mandoline à terre, et, les bras croisés, il se mit à contempler le feu qui s'éteignait, avec une singulière[8] expression

---

1. ***Gazpacho* :** en réalité, une soupe froide et épicée, à base d'oignons, d'huile et de tomates.
2. **Outre** : sorte de gourde en peau (généralement, de bouc).
3. **Qui se trouva délicieux :** qui se trouva être délicieux.
4. **Avisant :** apercevant inopinément.
5. **À la passion :** passionnément.
6. ***Zorzicos* :** danses des pays basques accompagnées de chants.
7. **Dans les Provinces :** *les provinces privilégiées* jouissant de *fueros* particuliers, c'est-à-dire l'Álava, la Biscaye, le Guipúzcoa, et une partie de la Navarre. Le basque est la langue du pays (note de Mérimée).
8. **Singulière :** inhabituelle et étrange.

de tristesse. Éclairée par une lampe posée sur la petite table, sa figure, à la fois noble et farouche, me rappelait le Satan de Milton[1]. 220 Comme lui, peut-être, mon compagnon songeait au séjour[2] qu'il avait quitté, à l'exil qu'il avait encouru par une faute. J'essayai de ranimer la conversation, mais il ne répondit pas, absorbé qu'il était dans ses tristes pensées. Déjà la vieille s'était couchée dans un coin de la salle, à l'abri d'une couverture trouée tendue sur une corde. 225 La petite fille l'avait suivie dans cette retraite[3] réservée au beau sexe[4]. Mon guide, se levant, m'invita à le suivre à l'écurie ; mais, à ce mot, don José, comme réveillé en sursaut, lui demanda d'un ton brusque où il allait.

« À l'écurie, répondit le guide.

230 – Pour quoi faire ? Les chevaux ont à manger. Couche ici, monsieur le permettra.

– Je crains que le cheval de monsieur ne soit malade ; je voudrais que monsieur le vît : peut-être saura-t-il ce qu'il faut lui faire. »

Il était évident qu'Antonio voulait me parler en particulier ; 235 mais je ne me souciais pas de donner des soupçons à don José, et, au point où nous en étions, il me semblait que le meilleur parti à prendre était de montrer la plus grande confiance. Je répondis donc à Antonio que je n'entendais rien aux chevaux et que j'avais envie de dormir. Don José le suivit à l'écurie, d'où bientôt il revint 240 seul. Il me dit que le cheval n'avait rien, mais que mon guide le trouvait un animal si précieux, qu'il le frottait avec sa veste pour le faire transpirer, et qu'il comptait passer la nuit dans cette douce occupation. Cependant je m'étais étendu sur les couvertures de mulets, soigneusement enveloppé dans mon manteau pour ne 245 pas les toucher. Après m'avoir demandé pardon de la liberté qu'il prenait de se mettre auprès de moi, don José se coucha devant la porte, non sans avoir renouvelé l'amorce[5] de son espingole[6], qu'il

---

1. **Le Satan de Milton :** le Diable tel que le décrit Milton, poète anglais du XVIIe siècle, dans le chant I de son *Paradis perdu*.
2. **Séjour :** endroit où l'on réside pendant un certain temps.
3. **Retraite :** lieu retiré, refuge.
4. **Au beau sexe :** aux femmes.
5. **Amorce :** poudre assurant la détonation du fusil.
6. **Espingole :** court fusil espagnol.

eut soin de placer sous la besace qui lui servait d'oreiller. Cinq minutes après nous être mutuellement souhaité le bonsoir, nous
250 étions l'un et l'autre profondément endormis.

Je me croyais assez fatigué pour pouvoir dormir dans un pareil gîte ; mais au bout d'une heure, de très désagréables démangeaisons m'arrachèrent à mon premier somme[1]. Dès que j'en eus compris la nature[2], je me levai, persuadé qu'il valait mieux passer
255 le reste de la nuit à la belle étoile que sous ce toit inhospitalier. Marchant sur la pointe du pied, je gagnai la porte, j'enjambai pardessus[3] la couche de don José, qui dormait du sommeil du juste, et je fis si bien que je sortis de la maison sans qu'il s'éveillât. Auprès de la porte était un large banc de bois ; je m'étendis dessus, et
260 m'arrangeai de mon mieux pour achever ma nuit. J'allais fermer les yeux pour la seconde fois, quand il me sembla voir passer devant moi l'ombre d'un homme et l'ombre d'un cheval marchant l'un et l'autre sans faire le moindre bruit. Je me mis sur mon séant[4], et je crus reconnaître Antonio. Surpris de le voir hors de l'écurie
265 à pareille heure, je me levai et marchai à sa rencontre. Il s'était arrêté, m'ayant aperçu d'abord.

« Où est-il ? me demanda Antonio à voix basse.

– Dans la venta[5] ; il dort ; il n'a pas peur des punaises. Pourquoi donc emmenez-vous ce cheval ? »

270 Je remarquai alors que, pour ne pas faire de bruit en sortant du hangar, Antonio avait soigneusement enveloppé les pieds de l'animal avec les débris d'une vieille couverture.

« Parlez plus bas, me dit Antonio, au nom de Dieu ! Vous ne savez donc pas qui est cet homme-là. C'est José Navarro, le plus
275 insigne[6] bandit de l'Andalousie. Toute la journée je vous ai fait des signes que vous n'avez pas voulu comprendre.

---

1. **Somme :** sommeil.
2. **Dès que j'en eus compris la nature :** comprenons ici que ce sont des punaises qui ont provoqué les démangeaisons.
3. **J'enjambai par-dessus :** j'enjambais (tour ancien).
4. **Mon séant :** mon derrière.
5. **Venta :** auberge.
6. **Insigne :** très célèbre.

– Bandit ou non, que m'importe ? répondis-je ; il ne nous a pas volés, et je parierais qu'il n'en a pas envie.

– À la bonne heure ; mais il y a deux cents ducats[1] pour qui le
280 livrera. Je sais[2] un poste de lanciers[3] à une lieue et demie d'ici, et avant qu'il soit jour, j'amènerai quelques gaillards solides. J'aurais pris son cheval, mais il est si méchant que nul que le Navarro ne peut en approcher.

– Que le diable vous emporte ! lui dis-je. Quel mal vous a fait ce
285 pauvre homme pour le dénoncer ? D'ailleurs, êtes-vous sûr qu'il soit le brigand que vous dites ?

– Parfaitement sûr ; tout à l'heure il m'a suivi dans l'écurie et m'a dit : « Tu as l'air de me connaître ; si tu dis à ce bon monsieur qui je suis, je te fais sauter la cervelle.» Restez, monsieur, restez auprès
290 de lui ; vous n'avez rien à craindre. Tant qu'il vous saura là, il ne se méfiera de rien. »

Tout en parlant, nous nous étions déjà assez éloignés de la venta pour qu'on ne pût entendre les fers du cheval. Antonio l'avait débarrassé en un clin d'œil des guenilles dont il lui avait enveloppé
295 les pieds ; il se préparait à enfourcher sa monture[4]. J'essayai prières et menaces pour le retenir.

« Je suis un pauvre diable[5], monsieur, me dit-il ; deux cents ducats ne sont pas à perdre, surtout quand il s'agit de délivrer le pays de pareille vermine. Mais prenez garde ; si le Navarro se
300 réveille, il sautera sur son espingole[6], et gare à vous ! Moi je suis trop avancé pour reculer ; arrangez-vous comme vous pourrez. »

Le drôle[7] était en selle ; il piqua des deux[8], et dans l'obscurité je l'eus bientôt perdu de vue.

---

1. **Ducats :** monnaie d'or fin.
2. **Je sais :** je connais.
3. **Lanciers :** cavaliers armés d'une lance qui assuraient la police en Espagne.
4. **Enfourcher sa monture :** monter sur son cheval.
5. **Pauvre diable :** homme pauvre et malheureux.
6. **Espingole :** court fusil espagnol.
7. **Drôle :** homme rusé et peu fiable.
8. **Il piqua des deux :** comprenons, des deux éperons, pour faire partir le cheval au galop.

J'étais fort irrité contre mon guide et passablement inquiet. Après 305 un instant de réflexion, je me décidai et rentrai dans la venta. Don José dormait encore, réparant sans doute en ce moment les fatigues et les veilles de plusieurs journées aventureuses. Je fus obligé de le secouer rudement pour l'éveiller. Jamais je n'oublierai son regard farouche[1] et le mouvement qu'il fit pour saisir son espingole, que, 310 par mesure de précaution, j'avais mise à quelque distance de sa couche.

« Monsieur, lui dis-je, je vous demande pardon de vous éveiller ; mais j'ai une sotte question à vous faire : seriez-vous bien aise[2] de voir arriver ici une demi-douzaine de lanciers ? »

315 Il sauta en pieds[3], et d'une voix terrible :

« Qui vous l'a dit ? me demanda-t-il.

– Peu importe d'où vient l'avis, pourvu qu'il soit bon.

– Votre guide m'a trahi, mais il me le payera ! Où est-il ?

– Je ne sais... Dans l'écurie, je pense... mais quelqu'un m'a dit...

320 – Qui vous a dit ?... Ce ne peut être la vieille...

– Quelqu'un que je ne connais pas... Sans plus de paroles, avez-vous, oui ou non, des motifs pour ne pas attendre les soldats ? Si vous en avez, ne perdez pas de temps, sinon bonsoir, et je vous demande pardon d'avoir interrompu votre sommeil.

325 – Ah ! votre guide ! votre guide ! Je m'en étais méfié d'abord... mais... son compte est bon !... Adieu, monsieur. Dieu vous rende[4] le service que je vous dois. Je ne suis pas tout à fait aussi mauvais que vous me croyez... oui ; il y a encore en moi quelque chose qui mérite la pitié d'un galant homme... Adieu, monsieur... Je n'ai qu'un 330 regret, c'est de ne pouvoir m'acquitter envers vous[5].

– Pour prix du service que je vous ai rendu, promettez-moi, don José, de ne soupçonner personne, de ne pas songer à la vengeance. Tenez, voilà des cigares pour votre route ; bon voyage ! »

Et je lui tendis la main.

---

1. **Farouche :** sauvage.
2. **Bien aise :** bien content.
3. **Il sauta en pieds :** il ne fit qu'un bond ; il se leva aussitôt.
4. **Dieu vous rende :** Que Dieu vous rende…
5. **M'acquitter envers vous :** vous rendre ce que je vous dois.

335 Il me la serra sans répondre, prit son espingole et sa besace, et, après avoir dit quelques mots à la vieille dans un argot que je ne pus comprendre, il courut au hangar. Quelques instants après, je l'entendais galoper dans la campagne.

Pour moi, je me recouchai sur mon banc, mais je ne me ren-
340 dormis point. Je me demandais si j'avais eu raison de sauver de la potence[1] un voleur, et peut-être un meurtrier, et cela seulement parce que j'avais mangé du jambon avec lui et du riz à la valencienne[2]. N'avais-je pas trahi mon guide qui soutenait la cause des lois ? Ne l'avais-je pas exposé à la vengeance d'un scélérat ? Mais
345 les devoirs de l'hospitalité !... Préjugé de sauvage, me disais-je ; j'aurai à répondre[3] de tous les crimes que le bandit va commettre... Pourtant est-ce un préjugé que cet instinct de conscience qui résiste à tous les raisonnements ? Peut-être, dans la situation délicate où je me trouvais, ne pouvais-je m'en tirer sans remords.
350 Je flottais encore dans la plus grande incertitude au sujet de la moralité de mon action, lorsque je vis paraître une demi-douzaine de cavaliers avec Antonio, qui se tenait prudemment à l'arrière-garde. J'allai au-devant d'eux, et les prévins que le bandit avait pris la fuite depuis plus de deux heures. La vieille, interrogée par le brigadier,
355 répondit qu'elle connaissait le Navarro, mais que, vivant seule, elle n'aurait jamais osé risquer sa vie en le dénonçant. Elle ajouta que son habitude, lorsqu'il venait chez elle, était de partir toujours au milieu de la nuit. Pour moi[4], il me fallut aller à quelques lieues de là, exhiber mon passeport et signer une déclaration devant un alcade[5], après
360 quoi on me permit de reprendre mes recherches archéologiques. Antonio me gardait rancune[6], soupçonnant que c'était moi qui l'avais empêché de gagner les deux cents ducats. Pourtant nous nous séparâmes bons amis à Cordoue ; là, je lui donnai une gratification[7] aussi forte que l'état de mes finances pouvait me le permettre.

---

1. **La potence :** la pendaison.
2. **Du riz à la valencienne :** de la paella (plat originaire de Valence).
3. **J'aurai à répondre :** je serai responsable.
4. **Pour moi :** quant à moi.
5. **Alcade :** magistrat municipal (de l'espagnol *alcalde*).
6. **Me gardait rancune :** m'en voulait.
7. **Gratification :** prime, pourboire.

Clefs d'analyse **Chapitre I,** l. 1 à 141

Action et personnages

1. Identifiez les toponymes. Dans quel pays se déroule l'action ? Que vient y faire le narrateur ? Quelle est sa profession et que peut-on supposer de son milieu social ? La nature de ses recherches a-t-elle un rapport avec la suite du récit ? Que nous apprend leur évocation sur la personnalité du narrateur ?
2. Quels personnages sont présentés dans ces premières pages ? Mérimée y évoque-t-il le personnage éponyme de la nouvelle ?
3. Dans quel paysage et dans quelles circonstances don José apparaît-il pour la première fois au narrateur ? Ce personnage est-il longuement décrit ? À quoi ressemble-t-il ? Quels indices nous renseignent sur sa personnalité ? Quelle impression provoque-t-il sur le lecteur ?
4. En quoi la manière dont le narrateur se comporte avec don José contraste-t-elle avec les différentes réactions de son guide ? Quels sentiments ces réactions trahissent-elles ? Et que nous apprennent-elles sur le caractère du personnage ?

Langue

5. Quel est l'effet produit par la citation liminaire ? Pourquoi Mérimée a-t-il tenu à la reproduire dans sa langue d'origine ?
6. Relevez les différents mots étrangers dont se sert ici Mérimée. Quel est leur rôle dans la nouvelle ?
7. En quoi la manière dont s'expriment les personnages nous renseigne-t-elle sur leur identité ?
8. Les personnages échangent-ils beaucoup de paroles ? Quel est l'effet suscité ? Quelles modalités du discours rapporté Mérimée privilégie-t-il dans cette exposition ? Pour quelles raisons ?

Genre ou thèmes

9. Relevez les différentes indications de temps et de lieu jalonnant le récit. Ont-elles toutes le même statut ? Quel est leur intérêt ? En quoi trahissent-elles, pour certaines, une tentation de l'exotisme ?

10. Dans quelle tradition romanesque s'inscrit le thème du héros voyageur ? Quelles caractéristiques en sont ici exploitées ?
11. Le narrateur de *Carmen* est-il omniscient ? Quelle en est la conséquence ? Par quels autres procédés Mérimée ménage-t-il le climat de mystère qui imprègne ces premières pages ?

Écriture

12. Faites le portrait d'un brigand en cavale.
13. Avez-vous, comme Mérimée, rêvé de rencontrer l'un deux ? Présentez les arguments pouvant justifier cette fascination.

Pour aller plus loin

14. « J'avais loué à Cordoue un guide et deux chevaux, et m'étais mis en campagne avec les *Commentaire*s de César » : renseignez-vous sur les différents livres composant ces *Commentaires*, sur la vie de César, et sur le contexte politique de la bataille de Munda évoquée dans le premier paragraphe de la nouvelle.
Repérez par ailleurs sur une carte d'Espagne les différents lieux évoqués par Mérimée. *Carmen* paraît à une époque où la France découvre avec enthousiasme l'Espagne et sa littérature. Renseignez-vous sur les différents jalons de cette découverte.

✻ À retenir

L'incipit d'une nouvelle est un lieu décisif où l'auteur doit très rapidement planter le décor de son action, faire vivre ses héros et, surtout, donner au lecteur l'envie de poursuivre. Celui de *Carmen* est à cet égard exemplaire, et le suspense y apparaît d'autant plus grand que l'auteur y évite de manière un peu surprenante toute allusion à l'héroïne dont le nom donne son titre à la nouvelle.

Carmen. Reconstitution par Émile Bertin du décor de la création, en 1875, de l'opéra en 4 actes de Georges Bizet.
Livret de Henri Meilhac et Ludovic Halévy, inspiré par la nouvelle de Mérimée.

II

Je passai quelques jours à Cordoue. On m'avait indiqué certain manuscrit de la bibliothèque des Dominicains, où je devais trouver des renseignements intéressants sur l'antique Munda. Fort bien accueilli par les bons Pères, je passais les journées dans leur couvent, et le soir je me promenais par la ville. À Cordoue, vers le coucher du soleil, il y a quantité d'oisifs[1] sur le quai qui borde la rive droite du Guadalquivir. Là, on respire les émanations d'une tannerie qui conserve encore l'antique renommée du pays pour la préparation des cuirs ; mais, en revanche, on y jouit d'un spectacle qui a bien son mérite. Quelques minutes avant l'angélus[2], un grand nombre de femmes se rassemblent sur le bord du fleuve, au bas du quai, lequel est assez élevé. Pas un homme n'oserait se mêler à cette troupe. Aussitôt que l'angélus sonne, il est censé qu'il fait nuit[3]. Au dernier coup de cloche, toutes ces femmes se déshabillent et entrent dans l'eau. Alors ce sont des cris, des rires, un tapage infernal. Du haut du quai, les hommes contemplent les baigneuses, écarquillent les yeux, et ne voient pas grand-chose. Cependant ces formes blanches et incertaines qui se dessinent sur le sombre azur du fleuve font travailler les esprits poétiques, et, avec un peu d'imagination, il n'est pas difficile de se représenter Diane[4] et ses nymphes[5] au bain, sans avoir à craindre le sort d'Actéon[6]. On m'a dit que quelques mauvais garnements se cotisèrent certain jour, pour graisser la patte[7] au sonneur de la cathédrale et lui faire sonner l'angélus vingt minutes avant l'heure légale. Bien qu'il fît

1. **Oisifs :** flâneurs désœuvrés.
2. **Angélus :** prière à la Vierge annoncée par un son de cloche, matin, midi et soir.
3. **Il est censé qu'il fait nuit :** il est censé faire nuit.
4. **Diane :** déesse de la Chasse dans l'Antiquité latine.
5. **Nymphes :** ici, déesses mythologiques d'un rang inférieur.
6. **Le sort d'Actéon :** ayant surpris Diane alors qu'elle se baignait nue dans une source, ce malheureux chasseur s'attira les foudres de la déesse. Il fut changé en cerf, puis mis en pièces par les cinquante chiens qui composait sa meute.
7. **Graisser la patte :** donner de l'argent de manière à corrompre.

25 encore grand jour, les nymphes[1] du Guadalquivir n'hésitèrent pas, et se fiant plus à l'angélus qu'au soleil, elles firent en sûreté de conscience leur toilette de bain, qui est toujours des plus simples. Je n'y étais pas. De mon temps, le sonneur était incorruptible, le crépuscule peu clair, et un chat seulement aurait pu distinguer 30 la plus vieille marchande d'oranges de la plus jolie grisette[2] de Cordoue.

Un soir, à l'heure où l'on ne voit plus rien, je fumais, appuyé sur le parapet du quai, lorsqu'une femme, remontant l'escalier qui conduit à la rivière, vint s'asseoir près de moi. Elle avait dans les 35 cheveux un gros bouquet de jasmin, dont les pétales exhalent le soir une odeur enivrante. Elle était simplement, peut-être pauvrement vêtue, tout en noir, comme la plupart des grisettes dans la soirée. Les femmes comme il faut ne portent le noir que le matin ; le soir, elles s'habillent *a la francesa*[3]. En arrivant auprès de moi, 40 ma baigneuse laissa glisser sur ses épaules la mantille[4] qui lui couvrait la tête, et, « à l'obscure clarté qui tombe des étoiles »[5], je vis qu'elle était petite, jeune, bien faite, et qu'elle avait de très grands yeux. Je jetai mon cigare aussitôt. Elle comprit cette attention d'une politesse toute française, et se hâta de me dire qu'elle 45 aimait beaucoup l'odeur du tabac, et que même elle fumait, quand elle trouvait des *papelitos*[6] bien doux. Par bonheur, j'en avais de tels dans mon étui, et je m'empressai de lui en offrir. Elle daigna en prendre un, et l'alluma à un bout de corde enflammé qu'un enfant nous apporta moyennant un sou. Mêlant nos fumées, nous 50 causâmes si longtemps, la belle baigneuse et moi, que nous nous trouvâmes presque seuls sur le quai. Je crus n'être point indiscret

1. **Les nymphes :** ici, jeunes femmes au corps gracieux.
2. **Grisette :** jeune ouvrière coquette et volage. Les *grisettes* doivent leur nom à celui de l'étoffe grise dans laquelle étaient taillés les habits des jeunes filles appartenant à un milieu modeste.
3. ***A la francesca :*** « à la française », c'est-à-dire avec des couleurs et non plus en noir.
4. **Mantille :** longue écharpe de soie, de résille ou de dentelle, généralement noire, dont les Espagnoles se couvrent la tête et les épaules.
5. **« obscure clarté qui tombent des étoiles » :** citation de Corneille, *Le Cid*, acte IV, scène 3.
6. ***Papelitos :*** cigarettes.

en lui offrant d'aller prendre des glaces à la *neveria*[1]. Après une hésitation modeste elle accepta ; mais avant de se décider, elle désira savoir quelle heure il était. Je fis sonner ma montre, et cette sonnerie parut l'étonner beaucoup.

« Quelles inventions on a chez vous, messieurs les étrangers ! De quel pays êtes-vous, monsieur ? Anglais sans doute[2] ?

– Français et votre grand serviteur. Et vous mademoiselle, ou madame, vous êtes probablement de Cordoue ?

– Non.

– Vous êtes du moins andalouse. Il me semble le reconnaître à votre doux parler.

– Si vous remarquez si bien l'accent du monde, vous devez bien deviner qui je suis.

– Je crois que vous êtes du pays de Jésus, à deux pas du paradis. »

(J'avais appris cette métaphore, qui désigne l'Andalousie, de mon ami Francisco Sevilla, picador[3] bien connu.)

« Bah ! le paradis... les gens d'ici disent qu'il n'est pas fait pour nous.

– Alors, vous seriez donc Moresque, ou... »

Je m'arrêtai, n'osant dire : Juive.

« Allons allons ! vous voyez bien que je suis bohémienne, voulez-vous que je vous dise la *baji*[4] ? Avez-vous entendu parler de la Carmencita ? C'est moi. »

J'étais alors un tel mécréant[5], il y a de cela quinze ans, que je ne reculai pas d'horreur en me voyant à côté d'une sorcière. « Bon ! me dis-je ; la semaine passée, j'ai soupé avec un voleur de grand chemin, allons aujourd'hui prendre des glaces avec une servante

---

1. ***Neveria :*** café pourvu d'une glacière, ou plutôt d'un dépôt de neige. En Espagne, il n'y a guère de village qui n'ait pas sa neveria (note de Mérimée).
2. **Anglais sans doute :** en Espagne, tout voyageur qui ne porte pas avec lui des échantillons de calicot ou de soieries passe pour un Anglais, *Inglesito*. Il en est de même en Orient. À Chalcis, j'ai eu l'honneur d'être annoncé comme un Μιλόρδος φραντσεῖσος (note de Mérimée).
3. **Picador :** cavalier chargé, pendant la corrida, de planter sa pique dans le garrot du taureau.
4. ***La baji :*** la bonne aventure (note de Mérimée).
5. **Mécréant :** athée.

du diable. En voyage il faut tout voir. » J'avais encore un autre motif pour cultiver sa connaissance. Sortant du collège, je l'avouerais à ma honte, j'avais perdu quelque temps à étudier les sciences occultes et même plusieurs fois j'avais tenté de conjurer l'esprit de ténèbres[1]. Guéri depuis longtemps de la passion de semblables recherches, je n'en conservais pas moins un certain attrait de curiosité pour toutes les superstitions, et me faisais une fête[2] d'apprendre jusqu'où s'était élevé l'art de la magie parmi les bohémiens.

Tout en causant, nous étions entrés dans la *neveria*[3], et nous étions assis à une petite table éclairée par une bougie renfermée dans un globe de verre. J'eus alors tout le loisir d'examiner ma *gitana* pendant que quelques honnêtes gens s'ébahissaient[4], en prenant leurs glaces, de me voir en si bonne compagnie.

Je doute fort que Mlle Carmen fût de race pure, du moins elle était infiniment plus jolie que toutes les femmes de sa nation que j'aie jamais rencontrées. Pour qu'une femme soit belle, il faut, disent les Espagnols, qu'elle réunisse trente *si,* ou, si l'on veut, qu'on puisse la définir au moyen de dix adjectifs applicables chacun à trois parties de sa personne. Par exemple, elle doit avoir trois choses noires : les yeux, les paupières et les sourcils ; trois fines, les doigts, les lèvres, les cheveux, etc. Voyez Brantôme[5] pour le reste. Ma bohémienne ne pouvait prétendre à tant de perfections. Sa peau, d'ailleurs parfaitement unie, approchait fort de la teinte du cuivre. Ses yeux étaient obliques, mais admirablement fendus ; ses lèvres un peu fortes, mais bien dessinées et laissant voir des dents plus blanches que les amandes sans leur peau. Ses cheveux, peut-être un peu gros, étaient noirs, à reflets bleus comme l'aile d'un corbeau, longs et luisants. Pour ne pas vous fatiguer d'une description trop prolixe[6], je vous dirai en somme qu'à chaque défaut elle réunissait une qualité qui ressortait peut-être plus fortement par

1. **L'esprit de ténèbres :** le diable.
2. **Me faisais une fête :** me réjouissais.
3. ***Neveria :*** café muni d'une glacière.
4. **S'ébahissaient :** s'étonnaient.
5. **Brantôme :** auteur français (1538-1614) dont Mérimée évoque ici les licencieuses *Vies de dames galantes.*
6. **Prolixe :** longue et bavarde.

le contraste. C'était une beauté étrange et sauvage, une figure qui
110 étonnait d'abord, mais qu'on ne pouvait oublier. Ses yeux surtout avaient une expression à la fois voluptueuse[1] et farouche[2] que je n'ai trouvée depuis à aucun regard humain. Œil de bohémien, œil de loup, c'est un dicton espagnol qui dénote[3] une bonne observation. Si vous n'avez pas le temps d'aller au Jardin des Plantes pour
115 étudier le regard d'un loup, considérez votre chat quand il guette un moineau.

On sent qu'il eût été ridicule de se faire tirer la bonne aventure dans un café. Aussi je priai la jolie sorcière de me permettre de l'accompagner à son domicile ; elle y consentit sans difficulté, mais
120 elle voulut connaître encore la marche du temps, et me pria de nouveau de faire sonner ma montre.

« Est-elle vraiment d'or ? » dit-elle en la considérant avec une excessive attention.

Quand nous nous remîmes en marche, il était nuit close ; la plupart
125 des boutiques étaient fermées et les rues presque désertes. Nous passâmes le pont du Guadalquivir, et à l'extrémité du faubourg, nous nous arrêtâmes devant une maison qui n'avait nullement l'apparence d'un palais. Un enfant nous ouvrit. La bohémienne lui dit quelques mots dans une langue à moi inconnue, que je sus depuis
130 être le *rommani* ou *chipe calli,* l'idiome[4] des gitanos. Aussitôt l'enfant disparut, nous laissant dans une chambre assez vaste, meublée d'une petite table, de deux tabourets et d'un coffre. Je ne dois point oublier une jarre d'eau, un tas d'oranges et une botte d'oignons.

Dès que nous fûmes seuls, la bohémienne tira de son coffre des
135 cartes qui paraissaient avoir beaucoup servi, un aimant, un caméléon desséché, et quelques autres objets nécessaires à son art. Puis elle me dit de faire la croix dans ma main gauche avec une pièce de monnaie, et les cérémonies magiques commencèrent. Il est inutile de vous rapporter ses prédictions, et, quant à sa manière d'opé-
140 rer, il était évident qu'elle n'était pas sorcière à demi.

---

1. **Voluptueuse :** sensuelle.
2. **Farouche :** sauvage.
3. **Dénote :** est l'indice, le signe de.
4. **Idiome :** langue parlée par une communauté donnée.

Malheureusement nous fûmes bientôt dérangés. La porte s'ouvrit tout à coup avec violence, et un homme, enveloppé jusqu'aux yeux dans un manteau brun, entra dans la chambre en apostrophant[1] la bohémienne d'une façon peu gracieuse. Je n'entendais[2] pas ce qu'il 145 disait, mais le ton de sa voix indiquait qu'il était de fort mauvaise humeur. À sa vue, la gitana ne montra ni surprise ni colère, mais elle accourut à sa rencontre, et avec une volubilité[3] extraordinaire, lui adressa quelques phrases dans la langue mystérieuse dont elle s'était déjà servie devant moi. Le mot du *payllo*[4], souvent répété, 150 était le seul mot que je comprisse. Je savais que les bohémiens désignent ainsi tout homme étranger à leur race. Supposant qu'il s'agissait de moi, je m'attendais à une explication délicate ; déjà j'avais la main sur le pied d'un des tabourets, et je syllogisais[5] à part moi pour deviner le moment précis où il conviendrait de le jeter à 155 la tête de l'intrus. Celui-ci repoussa rudement la bohémienne, et s'avança vers moi ; puis reculant d'un pas :

« Ah ! monsieur, dit-il, c'est vous ! »

Je le regardai à mon tour, et reconnus mon ami don José. En ce moment, je regrettais un peu de ne pas l'avoir laissé pendre.

160 « Eh ! c'est vous, mon brave, m'écriai-je en riant le moins jaune que je pus ; vous avez interrompu mademoiselle au moment où elle m'annonçait des choses bien intéressantes.

– Toujours la même ! Ça finira », dit-il entre ses dents, attachant sur elle un regard farouche.

165 Cependant la bohémienne continuait à lui parler dans sa langue. Elle s'animait par degrés[6]. Son œil s'injectait de sang et devenait terrible, ses traits se contractaient, elle frappait du pied. Il me sembla qu'elle le pressait vivement de[7] faire quelque chose à quoi il montrait de l'hésitation. Ce que c'était, je croyais ne le comprendre 170 que trop à la voir passer et repasser vivement sa petite main sous

---

1. **Apostrophant :** interpellant.
2. **Entendais :** comprenais.
3. **Volubilité :** abondance et facilité de paroles.
4. ***Payllo :*** littéralement, « celui qui n'est pas un Gitan ».
5. **Je syllogisais :** je raisonnais de manière ridicule.
6. **Elle s'animait par degrés :** elle s'échauffait, s'énervait, progressivement.
7. **Elle le pressait vivement de :** elle l'encourageait vivement à.

son menton. J'étais tenté de croire qu'il s'agissait d'une gorge à couper, et j'avais quelques soupçons que cette gorge ne fût la mienne.

À tout ce torrent d'éloquence, don José ne répondit que par 175 deux ou trois mots prononcés d'un ton bref. Alors la bohémienne lui lança un regard de profond mépris ; puis s'asseyant à la turque dans un coin de la chambre, elle choisit une orange, la pela et se mit à la manger.

Don José me prit le bras, ouvrit la porte et me conduisit dans 180 la rue. Nous fîmes environ deux cents pas dans le plus profond silence. Puis, étendant la main :

« Toujours tout droit, dit-il, et vous trouverez le pont. »

Aussitôt il me tourna le dos et s'éloigna rapidement. Je revins à mon auberge un peu penaud[1] et d'assez mauvaise humeur. Le 185 pire fut qu'en me déshabillant, je m'aperçus que ma montre me manquait.

Diverses considérations m'empêchèrent d'aller la réclamer le lendemain, ou de solliciter[2] M. le Corrégidor pour qu'il voulût bien la faire chercher. Je terminai mon travail sur le manuscrit des 190 Dominicains et je partis pour Séville. Après plusieurs mois de courses errantes en Andalousie, je voulus retourner à Madrid, et il me fallut repasser par Cordoue. Je n'avais pas l'intention d'y faire un long séjour, car j'avais pris en grippe cette belle ville. Cependant quelques amis à revoir, quelques commissions à faire devaient me 195 retenir au moins trois ou quatre jours dans l'antique capitale des princes musulmans.

Dès que je reparus au couvent de Dominicains, un des pères qui m'avait toujours montré un vif intérêt dans mes recherches sur l'emplacement de Munda, m'accueillit les bras ouverts, en s'écriant :

200 « Loué soit le nom de Dieu ! Soyez le bienvenu, mon cher ami. Nous vous croyions tous mort, et moi, qui vous parle, j'ai récité bien des *pater* et des *ave*[3], que je ne regrette pas, pour le salut de

---

1. **Penaud** : honteux et confus.
2. **Solliciter** : faire appel à.
3. **Des *pater* et des *ave*** : des *pater noster* (Notre Père) et des *ave maria* (Je vous salue Marie), prières que les chrétiens adressent respectivement à Dieu et à la Vierge Marie.

votre âme. Ainsi vous n'êtes pas assassiné, car pour volé, nous savons que vous l'êtes ?

205 – Comment cela ? lui demandai-je un peu surpris.

– Oui, vous savez bien, cette belle montre à répétition que vous faisiez sonner dans la bibliothèque, quand nous vous disions qu'il était temps d'aller au chœur. Eh bien ! elle est retrouvée, on vous la rendra.

210 – C'est-à-dire, interrompis-je un peu décontenancé[1], que je l'avais égarée...

– Le coquin est sous les verrous[2], et, comme on savait qu'il était homme à tirer un coup de fusil à un chrétien pour lui prendre une piécette, nous mourions de peur qu'il ne vous eût tué. J'irai avec 215 vous chez le corrégidor, et nous vous ferons rendre votre belle montre. Et puis, avisez-vous de dire là-bas que la justice ne sait pas son métier en Espagne !

– Je vous avoue, lui dis-je, que j'aimerais mieux perdre ma montre que de témoigner, en justice, pour faire pendre un pauvre diable, 220 surtout parce que... parce que...

– Oh ! n'ayez aucune inquiétude ; il est bien recommandé, et on ne peut le pendre deux fois. Quand je dis pendre, je me trompe. C'est un hidalgo que votre voleur[3] ; il sera donc garrotté[4] après-demain sans rémission[5]. Vous voyez qu'un vol de plus ou de moins ne changera 225 rien à son affaire. Plût à Dieu qu'il n'eût que volé ![6] mais il a commis plusieurs meurtres, tous plus horribles les uns que les autres.

---

1. **Décontenancé :** surpris, déstabilisé.
2. **Sous les verrous :** en prison.
3. **C'est un hidalgo que votre voleur :** votre voleur est un hidalgo, c'est-à-dire un homme prétendant appartenir à la plus pure noblesse espagnole, « sans mélange de sang juif ou maure » (Littré).
4. **Il sera donc garrotté :** il subira le supplice du garrot et sera donc condamné à mourir par strangulation.
5. **C'est un hidalgo que votre voleur ; il sera donc garrotté après-demain sans rémission :** en 1830, la noblesse jouissait encore de ce privilège. Aujourd'hui, sous le régime constitutionnel, les vilains ont conquis le droit au *garrote* (note de Mérimée). Sans rémission : sans bénéficier de la moindre indulgence (note de la rédaction).
6. **Plût à Dieu qu'il n'eût que volé ! :** si seulement il s'était contenté d'être un voleur !

– Comment se nomme-t-il ? »

– On le connaît dans le pays sous le nom de José Navarro, mais il a encore un autre nom basque, que ni vous ni moi ne prononcerons 230 jamais. Tenez, c'est un homme à voir, et vous qui aimez à connaître les singularités du pays, vous ne devez pas négliger d'apprendre comment en Espagne les coquins[1] sortent de ce monde[2]. Il est en chapelle, et le père Martinez vous y conduira. »

Mon dominicain insista tellement pour que je visse les apprêts du 235 « petit pendement pien choli »[3], que je ne pus m'en défendre. J'allai voir le prisonnier, muni d'un paquet de cigares qui, je l'espérais, devaient lui faire excuser mon indiscrétion.

On m'introduisit auprès de don José, au moment où il prenait son repas. Il me fit un signe de tête assez froid, et me remercia 240 poliment du cadeau que je lui apportais. Après avoir compté les cigares du paquet que j'avais mis entre ses mains, il en choisit un certain nombre, et me rendit le reste, observant qu'il n'avait pas besoin d'en prendre davantage.

Je lui demandai si, avec un peu d'argent, ou par le crédit de 245 mes amis, je pourrais obtenir quelque adoucissement à son sort. D'abord il haussa les épaules en souriant avec tristesse ; bientôt, se ravisant[4], il me pria de faire dire une messe pour le salut de son âme.

« Voudriez-vous, ajouta-t-il timidement, voudriez-vous en faire 250 dire une autre pour une personne qui vous a offensé ?

– Assurément, mon cher, lui dis-je ; mais personne, que je sache, ne m'a offensé en ce pays. »

Il me prit la main et la serra d'un air grave. Après un moment de silence, il reprit :

255 « Oserai-je encore vous demander un service ?... Quand vous reviendrez dans votre pays, peut-être passerez-vous par la Navarre : au moins vous passerez par Vittoria, qui n'en est pas fort éloignée.

---

1. **Les coquins :** les crapules.
2. **Sortent de ce monde :** meurent.
3. **« Petit pendement pien choli » :** citation de Molière, *Monsieur de Pourceaugnac*, acte III, scène 3.
4. **Se ravisant :** changeant d'avis.

– Oui, lui dis-je, je passerai certainement par Vittoria ; mais il n'est
260 pas impossible que je me détourne[1] pour aller à Pampelune, et à cause de vous, je crois que je ferais volontiers ce détour.

– Eh bien ! si vous allez à Pampelune, vous y verrez plus d'une chose qui vous intéressera... C'est une belle ville... Je vous donnerai cette médaille (il me montrait une petite médaille d'argent qu'il
265 portait au cou), vous l'envelopperez dans du papier... il s'arrêta un instant pour maîtriser son émotion... et vous la remettrez ou vous la ferez remettre à une bonne femme dont je vous dirai l'adresse. Vous direz que je suis mort, vous ne direz pas comment. »

Je promis d'exécuter sa commission[2]. Je le revis le lendemain, et
270 je passai une partie de la journée avec lui. C'est de sa bouche que j'ai appris les tristes aventures qu'on va lire.

---

1. **Que je me détourne :** que je fasse un détour.
2. **Sa commission :** la mission qu'il m'avait confiée.

Emma Calvé dans *Carmen*, opéra de Georges Bizet
inspiré de la nouvelle de Mérimée.

Clefs d'analyse Chapitre II, l. 1 à 116

Action et personnages

1. Pourquoi le narrateur séjourne-t-il à Cordoue ? Quel est l'intérêt de cette information dans la construction de la nouvelle ?
2. Le narrateur décrit-il Cordoue ? Quelles informations nous donne-t-il sur la ville ? Que nous apprennent ces informations sur la personnalité du narrateur ? En quoi préparent-elles l'entrée en scène de Carmen ?
3. Où, à quel moment de la journée et dans quelles circonstances, le narrateur rencontre-t-il Carmen pour la première fois ? Comment lie-t-il connaissance avec elle ? Quels détails rapprochent cet épisode de la scène de sa rencontre avec Don José ?
4. Comment le narrateur désigne-t-il Carmen avant de savoir son prénom ? Quel est l'effet produit ?
5. Repérez les différents moments de la description de Carmen. Pourquoi cet éclatement ? Le portrait esquissé de Carmen est-il homogène ? Le narrateur privilégie-t-il la description physique ou morale de son héroïne ? Sur quel élément de son visage s'attarde-t-il le plus ? Pourquoi ? Quels éléments du récit, enfin, nous renseignent, hors description, sur la personnalité de Carmen ?
6. Avez-vous le sentiment que le narrateur tombe d'emblée amoureux de l'héroïne ? Quelles sont ses réserves ?

Langue

7. Identifiez les différentes langues apparaissant dans le texte. Quel est l'effet produit ?
8. Identifiez les différents niveaux de langue utilisés par le narrateur.
9. Identifiez les champs lexicaux de la religion et de la superstition.

Genre ou thèmes

10. Quel lieu commun romanesque cette scène illustre-t-elle ? Comment Mérimée s'y prend-il pour y ménager une ambiance discrètement érotique ? Par quels procédés met-il par ailleurs cet érotisme à distance ?

11. Caractérisez la manière dont le narrateur ne cesse d'associer les domaines de l'érotisme et de la superstition. Quel est l'effet produit ? En quoi le romantisme de cette première rencontre est-il essentiellement un romantisme noir ?

Écriture

12. « Ma bohémienne ne pouvait prétendre à tant de perfections ». Proposez un autre portrait contrasté de Carmen, associant chaque qualité à un défaut.
13. Imaginez que le narrateur tombe instantanément amoureux de Carmen : rédigez la déclaration qu'il lui fait dans la *neveria*.

Pour aller plus loin

14. « Il n'est pas difficile de se représenter Diane et ses nymphes au bain, sans avoir à craindre le sort d'Actéon » (p. 20-21). Renseignez-vous sur le mythe évoqué par Mérimée. Quelle portée revêt ici l'allusion mythologique ? Connaissez-vous un autre épisode célèbre concernant une femme surprise en train de se baigner ? Quelle divinité de la mythologie grecque se trouve par ailleurs toujours accompagnée de chiens ?
15. L'« obscure clarté qui tombe des étoiles » (p. 41) : identifiez, dans *Le Cid* de Corneille, le contexte de cette citation. Quelle est la conséquence de son réinvestissement dans *Carmen* ?
16. Quelles autres figures de bohémienne célèbre connaissez-vous dans la littérature ? Et quelles autres figures de femme fatales ?

✻ *À retenir*

Cet épisode est une scène de première rencontre. Le narrateur y apparaît plus victime d'une fascination trouble pour Carmen que véritablement amoureux. L'héroïne, quant à elle, fait l'objet d'un portrait contrasté, aussi menaçant qu'attirant.

Carmen. Lithographie d'Alexandre Lunois (1845).

III

JE SUIS NÉ, dit-il, à Elizondo[1], dans la vallée de Baztán. Je m'appelle don[2] José Lizarrabengoa, et vous connaissez assez l'Espagne, monsieur, pour que mon nom vous dise aussitôt que je suis Basque et vieux chrétien. Si je prends le *don*, c'est que j'en ai le droit, et si j'étais à Elizondo, je vous montrerais ma généalogie sur parchemin. On voulait que je fusse d'Église[3], et l'on me fit étudier, mais je ne profitais guère. J'aimais trop à jouer à la paume[4], c'est ce qui m'a perdu. Quand nous jouons à la paume, nous autres Navarrais, nous oublions tout. Un jour que j'avais gagné, un gars de l'Alava me chercha querelle ; nous prîmes nos *maquilas*[5], et j'eus encore l'avantage ; mais cela m'obligea de quitter le pays. Je rencontrai des dragons[6], et je m'engageai dans le régiment d'Almanza, cavalerie. Les gens de nos montagnes apprennent vite le métier militaire. Je devins bientôt brigadier[7], et on me promettait de me faire maréchal des logis[8], quand, pour mon malheur, on me mit de garde à la manufacture de tabacs de Séville. Si vous êtes allé à Séville, vous aurez vu ce grand bâtiment-là, hors des remparts, près du Guadalquivir. Il me semble en voir encore la porte, et le corps de garde auprès. Quand ils sont de service, les Espagnols jouent aux cartes, ou dorment ; moi, comme un franc Navarrais, je tâchais toujours de m'occuper. Je faisais une chaîne avec du fil de laiton, pour tenir mon épinglette[9]. Tout d'un coup les camarades disent : « Voilà la cloche qui sonne ; les filles vont rentrer à l'ouvrage. »

Vous saurez, monsieur, qu'il y a bien quatre à cinq cents femmes occupées dans la manufacture. Ce sont elles qui roulent les cigares

---

1. **Elizondo :** à cinquante kilomètres de Bayonne, en pays basque espagnol.
2. **Don :** particule espagnole.
3. **Que je fusse de l'Église :** que je rentrasse dans les ordres.
4. **La paume :** la pelote basque.
5. ***Maquilas :*** bâtons ferrés des Basques (note de Mérimée).
6. **Dragons :** soldats appartenant à la cavalerie.
7. **Brigadier :** le grade le moins élevé dans la cavalerie.
8. **Maréchal des logis :** sous-officier de cavalerie.
9. **Épinglette :** longue et fine épingle servant à déboucher les fusils.

dans une grande salle, où les hommes n'entrent pas sans une permission du Vingt-Quatre[1], parce qu'elles se mettent à leur aise[2], les jeunes surtout, quand il fait chaud. À l'heure où les ouvrières rentrent, après leur dîner[3], bien des jeunes gens vont les voir
30 passer, et leur en content de toutes les couleurs. Il y a peu de ces demoiselles qui refusent une mantille de taffetas, et les amateurs, à cette pêche-là, n'ont qu'à se baisser pour prendre le poisson. Pendant que les autres regardaient, moi, je restais sur mon banc, près de la porte. J'étais jeune alors ; je pensais toujours au pays, et
35 je ne croyais pas qu'il y eût de jolies filles sans jupes bleues et sans nattes tombant sur les épaules[4]. D'ailleurs, les Andalouses me faisaient peur ; je n'étais pas encore fait à leurs manières : toujours à railler[5], jamais un mot de raison. J'étais donc le nez sur ma chaîne, quand j'entends des bourgeois qui disaient : « Voilà la gitanilla[6]... »
40 Je levai les yeux, et je la vis. C'était un vendredi et je ne l'oublierai jamais. Je vis cette Carmen que vous connaissez, chez qui je vous ai rencontré il y a quelques mois.

Elle avait un jupon rouge fort court qui laissait voir des bas de soie blancs avec plus d'un trou, et des souliers mignons de maro-
45 quin[7] rouge attachés avec des rubans couleur de feu. Elle écartait sa mantille[8] afin de montrer ses épaules et un gros bouquet de cassie[9] qui sortait de sa chemise. Elle avait encore une fleur de cassie dans le coin de la bouche, et elle s'avançait en se balançant

---

1. **Vingt-Quatre :** magistrat chargé de la police et de l'administration municipale (note de Mérimée).
2. **Elles se mettent à leur aise :** on imagine notamment qu'elles relèvent leur jupe pour avoir moins chaud.
3. **Dîner :** déjeuner.
4. **Sans jupes bleues et sans nattes tombant sur les épaules :** costume ordinaire des paysannes de la Navarre et des provinces basques (note de Mérimée).
5. **Railler :** se moquer.
6. **Gitanilla :** diminutif de « gitane ».
7. **Maroquin :** variété de cuir.
8. **Mantille :** longue écharpe de soie, de résille ou de dentelle, généralement noire, dont les Espagnoles se couvrent la tête et les épaules.
9. **Cassie :** fleur jeune et très parfumée.

sur ses hanches comme une pouliche[1] du haras[2] de Cordoue. Dans mon pays, une femme en ce costume aurait obligé le monde à se signer[3]. À Séville, chacun lui adressait quelque compliment gaillard[4] sur sa tournure ; elle répondait à chacun, faisant les yeux en coulisse[5], le poing sur la hanche, effrontée comme une vraie bohémienne qu'elle était. D'abord elle ne me plut pas, et je repris mon ouvrage ; mais elle, suivant l'usage des femmes et des chats qui ne viennent pas quand on les appelle et qui viennent quand on ne les appelle pas, s'arrêta devant moi et m'adressa la parole :

« Compère[6], me dit-elle à la façon andalouse, veux-tu me donner ta chaîne pour tenir les clefs de mon coffre-fort ?

– C'est pour attacher mon épinglette, lui répondis-je.

– Ton épinglette ! s'écria-t-elle en riant. Ah ! monsieur fait de la dentelle, puisqu'il a besoin d'épingles[7] ! »

Tout le monde qui était là se mit à rire, et moi je me sentais rougir, et je ne pouvais trouver rien à lui répondre.

« Allons, mon cœur, reprit-elle, fais-moi sept aunes[8] de dentelle noire pour une mantille, épinglier[9] de mon âme ! »

Et prenant la fleur de cassie qu'elle avait à la bouche, elle me la lança, d'un mouvement du pouce, juste entre les deux yeux. Monsieur, cela me fit l'effet d'une balle qui m'arrivait... Je ne savais où me fourrer, je demeurais immobile comme une planche. Quand elle fut entrée dans la manufacture, je vis la fleur de cassie qui était tombée à terre entre mes pieds ; je ne sais ce qui me prit, mais je la ramassai sans que mes camarades s'en aperçussent et je la mis précieusement dans ma veste. Première sottise !

---

1. **Pouliche :** jeune jument.
2. **Haras :** établissement réservé à la sélection et à la reproduction des chevaux.
3. **Se signer :** faire le signe de croix pour éloigner le démon (en l'occurrence, la femme sensuelle et tentatrice).
4. **Gaillard :** grivois, obscène.
5. **Faisant les yeux en coulisse :** regardant de biais.
6. **Compère :** camarade.
7. **Puisqu'il a besoin d'épingles :** les dentellières utilisaient des épingles pour fixer leur ouvrage sur la pelote.
8. **Aunes :** ancienne unité de mesure (1,18 m) supprimée en 1840.
9. **Épinglier :** mercier.

Clefs d'analyse Chapitre III, l. 1 à 74

Action et personnages

1. Qui parle à présent et à qui ?
2. Que nous apprend le passé de Don José sur son caractère ? Le personnage semble-t-il maîtriser le cours de son destin ? Pourquoi ?
3. Dans quelle ville don José rencontre-t-il Carmen pour la première fois ? Le lien avec Cordoue est-il cependant tout à fait rompu ?
4. Quel élément assure, dans ce chapitre, l'ambiance érotique présidant à l'apparition de Carmen ?
5. Où travaille Carmen ? En quoi ce détail permet-il d'associer cette scène de première rencontre avec les deux précédentes des chapitres 1 et 2 ? Relevez les autres points communs ainsi que les différences existant entre cet épisode et la première rencontre du narrateur avec Carmen.
6. Quels sont les différents indices de l'effroi et du désir éprouvés par don José à la vue de Carmen ? Sont-ils justifiés ? À quoi est comparée la rose lancée par l'héroïne ? Quel est l'effet produit ?

Langue

7. Étudiez la répartition des temps dans le premier paragraphe. Repérez différents usages du présent et leur rôle dans la dynamique du récit. Montrez, à l'aide des temps utilisés, comment don José s'emploie toujours à inscrire son parcours singulier dans un ensemble de lois générales qui le dépassent.
8. À quels animaux se trouvent associées ou comparées les femmes ? Quel est l'effet produit ?
9. Étudiez les différentes antithèses utilisées par don José pour opposer sa Navarre à l'Andalousie ou à l'Espagne en général.
10. Expliquez le fonctionnement des moqueries de Carmen. Sur quels procédés s'appuie-t-elle pour jouer sur les mots ?

Genre ou thèmes

11. Quels indices formels montrent que nous sommes ici en présence d'un discours adressé et enchâssé ?
12. En quoi le premier paragraphe apparaît-il marqué par l'influence des romans de formation ?
13. Comment don José dramatise-t-il l'entrée en scène de Carmen ?
14. Repérez les différents indices de l'importance une nouvelle fois accordée au domaine de la superstition.

Écriture

15. Racontez cette première rencontre du point de vue de Carmen, puis du point de vue d'un témoin de la scène.

Pour aller plus loin

16. « C'était un vendredi ». Une pareille insistance à souligner le jour du vendredi apparaît également dans *La Partie de tric-trac* et dans *La Vénus d'Ille*. À quelle divinité de la mythologie grecque est associé le vendredi ? Renseignez-vous à son sujet. Quels sont ses pouvoirs ? Ses attributs ? Ses relations avec les autres dieux ? Quel rôle joue par ailleurs le vendredi dans le Nouveau Testament ?

✻ À retenir

Don José se présente d'emblée comme un personnage faible, jouet du destin. Dès sa première rencontre avec lui, Carmen souffle à la fois le chaud et le froid : elle se moque ouvertement du brigadier, tout en lui manifestant très clairement l'intérêt qu'elle lui porte. D'abord indifférent, don José apparaît vite envoûté par la Bohémienne, tout en percevant confusément le danger d'une telle relation : la machine tragique est enclenchée.

75 Deux ou trois heures après, j'y pensais encore, quand arrive dans le corps de garde un portier tout haletant, la figure renversée. Il nous dit que dans la grande salle des cigares il y avait une femme assassinée, et qu'il fallait y envoyer la garde. Le maréchal[1] me dit de prendre deux hommes et d'y aller voir. Je prends mes 80 deux hommes et je monte. Figurez-vous, monsieur, qu'entré dans la salle, je trouve d'abord trois cents femmes en chemise, ou peu s'en faut, toutes criant, hurlant, gesticulant, faisant un vacarme à ne pas entendre Dieu tonner. D'un côté, il y en avait une les quatre fers en l'air, couverte de sang, avec un X sur la figure qu'on venait 85 de lui marquer en deux coups de couteau. En face de la blessée, que secouraient les meilleures de la bande, je vois Carmen tenue par cinq ou six commères[2]. La femme blessée criait : « Confession ! Confession ! je suis morte ! »

Carmen ne disait rien ; elle serrait les dents, et roulait des yeux 90 comme un caméléon : « Qu'est-ce que c'est ? » demandai-je. J'eus grand-peine à savoir ce qui s'était passé, car toutes les ouvrières me parlaient à la fois. Il paraît que la femme blessée s'était vantée d'avoir assez d'argent en poche pour acheter un âne au marché de Triana. « Tiens, dit Carmen, qui avait une langue, tu n'as donc pas 95 assez d'un balai ?[3] » L'autre, blessée du reproche, peut-être parce qu'elle se sentait véreuse sur l'article[4], lui répond qu'elle ne se connaissait pas en balais, n'ayant pas l'honneur d'être bohémienne ni filleule de Satan[5], mais que Mlle Carmencita ferait bientôt connaissance avec son âne, quand M. le Corrégidor[6] la mènerait 100 à la promenade avec deux laquais par-derrière pour l'émoucher[7].

1. **Le maréchal :** le maréchal des logis.
2. **Commères :** femmes bavardes et médisantes.
3. **Tu n'as donc pas assez d'un balai ? :** Carmen fait ici allusion au balai que chevauchent les sorcières. La mention de l'âne appelle cette allusion, car c'est sur un âne que les Espagnols avaient coutume de promener leurs sorcières à travers la ville pour leur infliger la peine du fouet.
4. **Elle se sentait véreuse sur l'article :** elle ne se sentait pas irréprochable sur ce point.
5. **Filleule de Satan :** sorcière.
6. **M. le Corrégidor :** le plus haut magistrat de la ville.
7. **Émoucher :** faire fuir les mouches (comprenons : avec un fouet, c'est-à-dire fouetter).

« Eh bien ! moi, dit Carmen, je te ferai des abreuvoirs à mouches sur la joue et je veux y peindre un damier[1]. » Là-dessus, v'li-v'lan ! elle commence, avec le couteau dont elle coupait le bout des cigares, à lui dessiner des croix de Saint-André[2] sur la figure.

105 Le cas était clair ; je pris Carmen par le bras : « Ma sœur[3], lui disje poliment, il faut me suivre. »

Elle me lança un regard comme si elle me reconnaissait ; mais elle dit d'un air résigné : « Marchons. Où est ma mantille[4] ? »

Elle la mit sur sa tête de façon à ne montrer qu'un seul de ses 110 grands yeux, et suivit mes deux hommes, douce comme un mouton. Arrivés au corps de garde, le maréchal des logis dit que c'était grave, et qu'il fallait la mener en prison. C'était encore moi qui devais la conduire. Je la mis entre deux dragons[5] et je marchais derrière comme un brigadier doit faire en semblable rencontre. 115 Nous nous mîmes en route pour la ville. D'abord la bohémienne avait gardé le silence ; mais dans la rue du Serpent – vous la connaissez, elle mérite bien son nom par les détours qu'elle fait –, dans la rue du Serpent, elle commence par laisser tomber sa mantille sur ses épaules, afin de me montrer son minois enjôleur[6], et, se 120 tournant vers moi autant qu'elle pouvait, elle me dit :

« Mon officier, où me menez-vous ?

– À la prison, ma pauvre enfant, lui répondis-je le plus doucement que je pus, comme un bon soldat doit parler à un prisonnier, surtout à une femme.

125 – Hélas ! que deviendrai-je ? Seigneur officier, ayez pitié de moi. Vous êtes si jeune, si gentil !... » Puis, d'un ton plus bas : « Laissezmoi m'échapper, dit-elle, je vous donnerai un morceau de la *bar lachi,* qui vous fera aimer de toute les femmes. »

---

1. **Peindre un damier :** *pintar un javeque,* peindre un chebec [voilier léger]. Les chebecs espagnols ont, pour la plupart, leur bande peinte de carreaux rouges et blancs (note de Mérimée).
2. **Croix de Saint-André :** croix en forme de X.
3. **Ma sœur :** manière courtoise de saluer une femme en Espagne (Hermana).
4. **Mantille :** longue écharpe de soie.
5. **Dragons :** soldats appartenant à la cavalerie.
6. **Minois enjôleur :** jeune visage délicat et charmeur.

La *bar lachi,* monsieur, c'est la pierre d'aimant, avec laquelle les
130 bohémiens prétendent qu'on fait quantité de sortilèges quand on sait s'en servir. Faites-en boire à une femme une pincée râpée dans un verre de vin blanc, elle ne résiste plus. Moi, je lui répondis le plus sérieusement que je pus :

« Nous ne sommes pas ici pour dire des balivernes[1] ; il faut aller
135 à la prison, c'est la consigne[2], et il n'y a pas de remède. »

Nous autres gens du pays basque, nous avons un accent qui nous fait reconnaître facilement des Espagnols ; en revanche, il n'y en a pas un qui puisse seulement apprendre à dire *baï jaona*[3]. Carmen donc n'eut pas de peine à deviner que je venais des pro-
140 vinces. Vous saurez, monsieur, que les bohémiens, comme n'étant d'aucun pays, voyagent toujours, parlent toutes les langues, et la plupart sont chez eux en Portugal, en France, dans les provinces, en Catalogne, partout ; même avec les Maures et les Anglais, ils se font entendre. Carmen savait assez bien le basque.

145 « *Laguna ene bihotsarena,* camarade de mon cœur, me dit-elle tout à coup, êtes-vous du pays ? »

Notre langue, monsieur, est si belle, que, lorsque nous l'entendons en pays étranger, cela nous fait tressaillir...

« Je voudrais avoir un confesseur des provinces », ajouta plus bas
150 le bandit. Il reprit après un silence :

« Je suis d'Elizondo, lui répondis-je en basque, fort ému de l'entendre parler ma langue.

– Moi, je suis d'Etchalar, dit-elle. (C'est un pays à quatre heures de chez nous.) J'ai été emmenée par des bohémiens à Séville. Je
155 travaillais à la manufacture pour gagner de quoi retourner en Navarre, près de ma pauvre mère qui n'a que moi pour soutien, et un petit *barratcea*[4] avec vingt pommiers à cidre ! Ah ! si j'étais au pays, devant la montagne blanche[5] ! On m'a insultée parce que je ne suis pas de ce pays de filous, marchands d'oranges pourries ;

---

1. **Balivernes :** sottises.
2. **Consigne :** règlement.
3. ***Baï jaona :*** oui monsieur (note de Mérimée).
4. ***Barratcea :*** enclos, jardin (note de Mérimée).
5. **La montagne blanche :** les Pyrénées.

160 et ces gueuses[1] se sont mises toutes contre moi, parce que je leur ai dit que tous leurs jaques[2] de Séville, avec leurs couteaux, ne feraient pas peur à un gars de chez nous avec son béret bleu et son *maquila*[3]. Camarade, mon ami, ne ferez-vous rien pour une payse[4] ? »

165 Elle mentait, monsieur, elle a toujours menti. Je ne sais pas si dans sa vie cette fille-là a jamais dit un mot de vérité ; mais quand elle parlait, je la croyais : c'était plus fort que moi. Elle estropiait[5] le basque, et je la crus Navarraise ; ses yeux seuls et sa bouche et son teint la disaient bohémienne. J'étais fou, je ne faisais plus attention 170 à rien. Je pensais que, si des Espagnols s'étaient avisés de mal parler du pays, je leur aurais coupé la figure, j'étais comme un homme ivre ; je commençais à dire des bêtises, j'étais tout près d'en faire.

« Si je vous poussais, et si vous tombiez, mon pays, reprit-elle en basque, ce ne seraient pas ces deux conscrits[6] de Castillans qui me 175 retiendraient... »

Ma foi, j'oubliai la consigne et tout, et je lui dis :

« Eh bien, m'amie, ma payse, essayez, et que Notre-Dame de la Montagne vous soit en aide ! »

En ce moment, nous passions devant une de ces ruelles étroites 180 comme il y en a tant à Séville. Tout à coup Carmen se retourne et me lance un coup de poing dans la poitrine. Je me laissai tomber exprès à la renverse. D'un bond, elle saute par-dessus moi et se met à courir en nous montrant une paire de jambes !... On dit jambes de Basque : les siennes en valaient bien d'autres... aussi vite que 185 bien tournées[7]. Moi, je me relève aussitôt ; mais je mets ma lance[8] en travers, de façon à barrer la rue, si bien que, de prime abord, les

---

1. **Gueuses :** jeunes mendiantes débauchées.
2. **Jaques :** braves, fanfarons (note de Mérimée).
3. ***Maquila :*** bâton ferré des Basques.
4. **Payse :** compatriote.
5. **Estropiait :** parlait et prononçait mal.
6. **Conscrits :** jeunes soldats.
7. **Aussi vite que bien tournées :** tournées vite et bien. Il y a là un jeu de mots. Comprenons que Carmen tourne vite les jambes (elle s'enfuit rapidement) et qu'elle a les jambes bien tournées (bien faites).
8. **Ma lance :** toute la cavalerie espagnole est armée de lances (note de Mérimée).

camarades furent arrêtés au moment de la poursuivre. Puis je me mis moi-même à courir, et eux après moi ; mais l'atteindre ! Il n'y avait pas de risque, avec nos éperons, nos sabres et nos lances ! En 190 moins de temps que je n'en mets à vous le dire, la prisonnière avait disparu. D'ailleurs, toutes les commères[1] du quartier favorisaient sa fuite, et se moquaient de nous, et nous indiquaient la fausse voie. Après plusieurs marches et contremarches[2], il fallut nous en revenir au corps de garde sans un reçu du gouverneur de la prison.

195 Mes hommes, pour n'être pas punis, dirent que Carmen m'avait parlé basque ; et il ne paraissait pas trop naturel, pour dire la vérité, qu'un coup de poing d'une tant petite fille eût terrassé si facilement un gaillard de ma force. Tout cela parut louche ou plutôt clair. En descendant la garde, je fus dégradé et envoyé pour un mois à la 200 prison. C'était ma première punition depuis que j'étais au service. Adieu les galons de maréchal des logis que je croyais déjà tenir !

Mes premiers jours de prison se passèrent fort tristement. En me faisant soldat, je m'étais figuré que je deviendrais tout au moins officier. Longa, Mina, mes compatriotes, sont bien capitaines géné- 205 raux ; Chapalangarra, qui est un négro[3] comme Mina, et réfugié comme lui dans votre pays, Chapalangarra était colonel, et j'ai joué à la paume[4] vingt fois avec son frère, qui était un pauvre diable[5] comme moi. Maintenant je me disais : tout le temps que tu as servi sans punition, c'est du temps perdu. Te voilà mal noté : pour 210 te remettre bien dans l'esprit des chefs, il te faudra travailler dix fois plus que lorsque tu es venu comme conscrit[6] ! Et pourquoi me suis-je fait punir ? Pour une coquine de bohémienne qui s'est moquée de moi, et qui, dans ce moment, est à voler dans quelque coin de la ville. Pourtant je ne pouvais m'empêcher de penser à 215 elle. Le croiriez-vous, monsieur ? ses bas de soie troués qu'elle me faisait voir tout en plein en s'enfuyant, je les avais toujours devant

---

1. **Commères :** femmes bavardes et médisantes.
2. **Marches et contremarches :** allers-retours.
3. **Un négro :** un libéral (par opposition à un blanco : un royaliste).
4. **À la paume :** à la pelote basque.
5. **Pauvre diable :** homme pauvre et malheureux.
6. **Conscrit :** jeune soldat.

les yeux. Je regardais par les barreaux de la prison dans la rue, et, parmi toutes les femmes qui passaient, je n'en voyais pas une seule qui valût cette diable de fille-là. Et puis, malgré moi, je sentais la fleur de cassie[1] qu'elle m'avait jetée, et qui, sèche, gardait toujours sa bonne odeur... S'il y a des sorcières, cette fille-là en était une !

Un jour, le geôlier entre, et me donne un pain d'Alcalá[2].

« Tenez, me dit-il, voilà ce que votre cousine vous envoie. »

Je pris le pain, fort étonné, car je n'avais pas de cousine à Séville. C'est peut-être une erreur, pensais-je en regardant le pain ; mais il était si appétissant, il sentait si bon, que, sans m'inquiéter de savoir d'où il venait et à qui il était destiné, je résolus de le manger. En voulant le couper, mon couteau rencontra quelque chose de dur. Je regarde, et je trouve une petite lime anglaise qu'on avait glissée dans la pâte avant que le pain fût cuit. Il y avait encore dans le pain une pièce d'or de deux piastres[3]. Plus de doute alors, c'était un cadeau de Carmen. Pour les gens de sa race, la liberté est tout, et ils mettraient le feu à une ville pour s'épargner un jour de prison. D'ailleurs, la commère était fine[4], et avec ce pain-là on se moquait des geôliers. En une heure, le plus gros barreau était scié[5] avec la petite lime ; et avec la pièce de deux piastres, chez le premier fripier[6], je changeais[7] ma capote[8] d'uniforme pour un habit bourgeois. Vous pensez bien qu'un homme qui avait déniché maintes fois des aiglons dans nos rochers ne s'embarrassait guère de descendre dans la rue, d'une fenêtre haute de moins de trente pieds[9], mais je ne voulais pas m'échapper. J'avais encore mon honneur de soldat, et déserter me semblait un grand crime. Seulement, je

---

1. **Fleur de cassie :** fleur jeune et très parfumée.
2. **Un pain d'Alcalá :** Alcalá de los Panaderos, bourg à deux lieues de Séville, où l'on fait des petits pains délicieux. On prétend que c'est à l'eau d'Alcalá qu'ils doivent leur qualité et l'on en apporte tous les jours une grande quantité à Séville (note de Mérimée).
3. **De deux piastres :** d'une valeur de dix pesetas.
4. **Fine :** maligne.
5. **Était scié :** aurait été scié.
6. **Fripier :** marchand de vieux habits.
7. **Je changeais :** j'aurais changé.
8. **Capote :** grand manteau militaire.
9. **Pieds :** ancienne unité de mesure (0,32 cm).

fus touché de cette marque de souvenir. Quand on est en prison, on aime à penser qu'on a dehors un ami qui s'intéresse à vous. La
245 pièce d'or m'offusquait[1] un peu, j'aurais bien voulu la rendre ; mais où trouver mon créancier[2] ? Cela ne me semblait pas facile.

Après la cérémonie de la dégradation, je croyais n'avoir plus rien à souffrir ; mais il me restait encore une humiliation à dévorer : ce fut à ma sortie de prison, lorsqu'on me commanda de service et
250 qu'on me mit en faction[3] comme un simple soldat. Vous ne pouvez vous figurer ce qu'un homme de cœur éprouve en pareille occasion. Je crois que j'aurais aimé autant à être fusillé. Au moins on marche seul, en avant de son peloton[4], on se sent quelque chose ; le monde vous regarde.

255 Je fus mis en faction à la porte du colonel. C'était un jeune homme riche, bon enfant, qui aimait à s'amuser. Tous les jeunes officiers étaient chez lui, et force bourgeois[5], des femmes aussi, des actrices, à ce qu'on disait. Pour moi, il me semblait que toute la ville s'était donné rendez-vous à sa porte pour me regarder. Voilà
260 qu'arrive la voiture du colonel, avec son valet de chambre sur le siège. Qu'est-ce que je vois descendre ?... la gitanilla[6]. Elle était parée[7], cette fois, comme une châsse[8], pomponnée, attifée, tout or et tout rubans. Une robe à paillettes, des souliers bleus à paillettes aussi, des fleurs et des galons partout. Elle avait un tambour de
265 basque à la main. Avec elle il y avait deux autres bohémiennes, une jeune fille et une vieille. Il y a toujours une vieille pour les mener ; puis un vieux avec une guitare, bohémien aussi, pour jouer et les faire danser. Vous savez qu'on s'amuse souvent à faire venir des bohémiennes dans les sociétés, afin de leur faire danser
270 la *romalis,* c'est leur danse ...

---

1. **M'offusquait :** me vexait.
2. **Créancier :** personne à qui l'on doit de l'argent.
3. **En faction :** de garde.
4. **Peloton :** ici, peloton d'exécution, groupe de soldats chargés de fusiller un condamné.
5. **Force bourgeois :** beaucoup de bourgeois.
6. **Gitanilla :** diminutif de « gitane ».
7. **Parée :** apprêtée, décorée.
8. **Châsse :** coffre où sont conservées les reliques d'un saint.

Carmen me reconnut, et nous échangeâmes un regard. Je ne sais, mais, en ce moment, j'aurais voulu être à cent pieds sous terre.

« *Agur laguna*[1], dit-elle. Mon officier, tu montes la garde comme un conscrit. »

275 Et, avant que j'eusse trouvé un mot à répondre, elle était dans la maison.

Toute la société était dans le patio[2], et, malgré la foule, je voyais à peu près tout ce qui se passait à travers la grille. J'entendais les castagnettes[3], le tambour, les rires et les bravos ; parfois j'apercevais sa 280 tête quand elle sautait avec son tambour. Puis j'entendais encore des officiers qui lui disaient bien des choses qui me faisaient monter le rouge à la figure. Ce qu'elle répondait, je n'en savais rien. C'est de ce jour-là, je pense, que je me mis à l'aimer pour tout de bon ; car l'idée me vint trois ou quatre fois d'entrer dans le patio, 285 et de donner de mon sabre dans le ventre à tous ces freluquets[4] qui lui contaient fleurette[5]. Mon supplice dura une bonne heure ; puis les bohémiens sortirent, et la voiture les ramena. Carmen, en passant, me regarda encore avec les yeux que vous savez, et me dit très bas :

290 « Pays, quand on aime la bonne friture, on en va manger à Triana[6], chez Lillas Pastia. »

Légère comme un cabri[7], elle s'élança dans la voiture, le cocher fouetta ses mules, et toute la bande joyeuse s'en alla je ne sais où.

Vous devinez bien qu'en descendant ma garde j'allai à Triana, 295 mais d'abord je me fis raser et je me brossai comme pour un jour de parade. Elle était chez Lillas Pastia, un vieux marchand de friture,

---

1. ***Agur laguna :*** bonjour, camarade (note de Mérimée).
2. **Patio :** la plupart des maisons de Séville ont une cour intérieure entourée de portiques. On s'y tient en été. Cette cour est couverte d'une toile qu'on arrose pendant le jour et qu'on retire le soir. La porte est presque toujours ouverte, et le passage qui conduit à la cour *(zaguán)* est fermé par une grille en fer très élégamment ouvragée (note de Mérimée).
3. **Castagnettes :** petit instrument de musique espagnol dont on fait claquer les deux parties en bois ou en ivoire l'une contre l'autre.
4. **Freluquets :** jeunes gens ridicules et prétentieux.
5. **Lui contaient fleurette :** lui faisaient la cour.
6. **Triana :** faubourg ouvrier de Séville.
7. **Cabri :** chevreau.

bohémien, noir comme un Maure, chez qui beaucoup de bourgeois venaient manger du poisson frit, surtout, je crois, depuis que Carmen y avait pris ses quartiers[1].

300 « Lillas, dit-elle sitôt qu'elle me vit, je ne fais plus rien de la journée. Demain il fera jour[2]. Allons, pays, allons nous promener ! »

Elle mit sa mantille devant son nez, et nous voilà dans la rue, sans savoir où j'allais.

« Mademoiselle, lui dis-je, je crois que j'ai à vous remercier 305 d'un présent[3] que vous m'avez envoyé quand j'étais en prison. J'ai mangé le pain ; la lime me servira à affiler[4] ma lance, et je la garde comme souvenir de vous ; mais l'argent, le voilà.

– Tiens ! il a gardé l'argent, s'écria-t-elle en éclatant de rire. Au reste tant mieux, car je ne suis guère en fonds[5] ; mais qu'importe ? 310 chien qui chemine ne meurt pas de famine[6]. Allons, mangeons tout[7]. Tu me régales[8]. »

Nous avions repris le chemin de Séville. À l'entrée de la rue du Serpent, elle acheta une douzaine d'oranges, qu'elle me fit mettre dans mon mouchoir. Un peu plus loin, elle acheta encore un pain, 315 du saucisson, une bouteille de manzanilla[9] ; puis enfin elle entra chez un confiseur. Là, elle jeta sur le comptoir la pièce d'or que je lui avais rendue, une autre encore qu'elle avait dans sa poche, avec quelque argent blanc ; enfin elle me demanda tout ce que j'avais. Je n'avais qu'une piécette et quelques cuartos[10], que je lui donnai, fort 320 honteux de n'avoir pas davantage. Je crus qu'elle voulait emporter toute la boutique. Elle prit tout ce qu'il y avait de plus beau et de

1. **Y avait pris ses quartiers :** s'y était installée (vocabulaire militaire).
2. **Demain il fera jour :** *mañana será otro día.* Proverbe espagnol (note de Mérimée). « Demain est un autre jour », note de la rédaction.
3. **Présent :** cadeau.
4. **Affiler :** aiguiser.
5. **Je ne suis guère en fonds :** je n'ai guère d'argent.
6. **Chien qui chemine ne meurt pas de famine :** *chuquel sos pirela, cocal terela.* Chien qui marche, os trouvé. Proverbe bohémien (note de Mérimée).
7. **Mangeons tout :** dépensons tout notre argent (populaire).
8. **Tu me régales :** c'est toi qui payes mon repas.
9. **Manzanilla :** vin blanc produit près de Séville.
10. **Cuartos :** quarts de peseta, piécette en cuivre.

plus cher, *yemas*[1], *turon*[2], fruits confits, tant que l'argent dura. Tout cela, il fallut encore que je le portasse dans des sacs de papier. Vous connaissez peut-être la rue du Candilejo, où il y a une tête du roi
325 don Pedro le Justicier[3]. Elle aurait dû m'inspirer des réflexions. Nous nous arrêtâmes, dans cette rue-là, devant une vielle maison. Elle entra dans l'allée, et frappa au rez-de-chaussée. Une bohémienne, vraie servante de Satan[4], vint nous ouvrir. Carmen lui dit quelques mots en rommani. La vieille grogna d'abord. Pour l'apai-
330 ser, Carmen lui donna deux oranges et une poignée de bonbons, et lui permit de goûter au vin. Puis elle lui mit sa mante[5] sur le dos et la conduisit à la porte, qu'elle ferma avec la barre de bois. Dès que

---

1. ***Yemas :*** jaunes d'œufs sucrés (note de Mérimée).
2. ***Turon :*** espèce de nougat (note de Mérimée).
3. **Où il y a une tête du roi don Pedro le Justicier :** le roi don Pèdre, que nous nommons « le Cruel », et que la reine Isabelle la Catholique n'appelait jamais que « le Justicier », aimait à se promener le soir dans les rues de Séville, cherchant les aventures, comme le calife Haroun al-Raschid. Certaine nuit, il se prit de querelle, dans une rue écartée, avec un homme qui donnait une sérénade. On se battit, et le roi tua le cavalier amoureux. Au bruit des épées, une vieille femme mit la tête à la fenêtre, et éclaira la scène avec la petite lampe, *candilejo*, qu'elle tenait à la main. Il faut savoir que le roi don Pèdre, d'ailleurs leste et vigoureux, avait un défaut de formation singulier. Quand il marchait, ses rotules craquaient fortement. La vieille, à ce craquement, n'eut pas de peine à le reconnaître. Le lendemain, le Vingt-Quatre en charge vint faire son rapport au roi : « Sire, on s'est battu en duel, cette nuit, dans telle rue. Un des combattants est mort. – Avez-vous découvert le meurtrier ? – Oui, Sire. – Pourquoi n'est-il pas puni ? – Sire, j'attends vos ordres. – Exécutez la loi. » Or, le roi venait de publier un décret portant que tout duelliste serait décapité, et que sa tête demeurerait exposée sur le lieu du combat. Le Vingt-Quatre se tira d'affaire en homme d'esprit. Il fit scier la tête d'une statue du roi, et l'exposa dans une niche au milieu de la rue, théâtre du meurtre. Le roi et tous les Sévillans le trouvèrent fort bon. La rue prit le nom de la lampe de la vieille, seul témoin de l'aventure. – Voilà la tradition populaire. Zúñiga raconte l'histoire un peu différemment (voir *Anales de Sevilla*, t. II). Quoi qu'il en soit, il existe encore à Séville une rue du Candilejo, et dans cette rue un buste de pierre, qu'on dit être le portrait de don Pèdre. Malheureusement, ce buste est moderne. L'ancien était fort usé au XVIIe siècle, et la municipalité d'alors le fit remplacer par celui qu'on voit aujourd'hui (note de Mérimée).
4. **Servante de Satan :** sorcière.
5. **Mante :** ample manteau de femme sans manche.

nous fûmes seuls, elle se mit à danser et à rire comme une folle, en chantant :

335 « Tu es mon *rom* je suis ta *romi*[1]. »

Moi j'étais au milieu de la chambre, chargé de toutes ses emplettes, ne sachant où les poser. Elle jeta tout par terre, et me sauta au cou, en me disant :

« Je paye mes dettes, je paye mes dettes ! c'est la loi des Calés[2] ! »

340 Ah ! monsieur, cette journée-là ! cette journée-là !... quand j'y pense, j'oublie celle de demain.

Le bandit se tut un instant ; puis, après avoir rallumé son cigare, il reprit :

Nous passâmes ensemble toute la journée, mangeant, buvant, et 345 le reste. Quand elle eut mangé des bonbons comme un enfant de six ans, elle en fourra des poignées dans la jarre d'eau de la vieille. « C'est pour lui faire du sorbet[3] », disait-elle. Elle écrasait des yemas en les lançant contre la muraille.

« C'est pour que les mouches nous laissent tranquilles », disait-350 elle... Il n'y a pas de tour ni de bêtise qu'elle ne fit. Je lui dis que je voudrais la voir danser ; mais où trouver des castagnettes ? Aussitôt elle prend la seule assiette de la vieille, la casse en morceaux, et la voilà qui danse la romalis[4] en faisant claquer les morceaux de faïence aussi bien que si elle avait eu des castagnettes 355 d'ébène où d'ivoire. On ne s'ennuyait pas auprès de cette fille-là, je vous en réponds. Le soir vint, et j'entendis les tambours qui battaient la retraite[5].

« Il faut que j'aille au quartier pour l'appel, lui dis-je.

– Au quartier ? dit-elle d'un air de mépris ; tu es donc un nègre, 360 pour te laisser mener à la baguette ? Tu es un vrai canari d'habit et de caractère[6]. Va, tu as un cœur de poulet. »

---

1. **Tu es mon *rom*, je suis ta *romi* :** *rom*, mari ; *romi*, femme (note de Mérimée).
2. **C'est la loi des Calés :** *calo* ; féminin, *calli* ; pluriel, *calés* ; mot à mot : « noir », nom que les Bohémiens se donnent dans leur langue (note de Mérimée).
3. **Sorbet :** à l'époque, boisson glacée à base de sucre, d'eau et de citron.
4. **Romalis :** danse.
5. **Battaient la retraite :** signifiaient aux soldats l'obligation de rejoindre leur caserne.
6. **Tu es un vrai canari d'habit et de caractère :** les dragons espagnols sont habillés de jaune (note de Mérimée).

Je restai, résigné d'avance à la salle de police. Le matin, ce fut elle qui parla la première de nous séparer.

« Écoute, Joseito, dit-elle ; t'ai-je payé ? D'après notre loi, je ne te devais rien, puisque tu es un *payllo*[1] ; mais tu es un joli garçon, es tu m'as plu. Nous sommes quittes. Bonjour[2]. »

Je lui demandai quand je la reverrais.

« Quand tu seras moins niais[3] », répondit-elle en riant.

Puis, d'un ton plus sérieux :

« Sais-tu, mon fils, que je crois que je t'aime un peu ? Mais cela ne peut durer. Chien et loup ne font pas longtemps bon ménage. Peut-être que, si tu prenais la loi d'Égypte[4], j'aimerais à devenir ta romi. Mais, ce sont des bêtises : cela ne se peut pas. Bah ! mon garçon, crois-moi, tu en es quitte à bon compte. Tu as rencontré le diable, oui, le diable ; il n'est pas toujours noir, et il ne t'a pas tordu le cou. Je suis habillée de laine, mais je ne suis pas mouton[5]. Va mettre un cierge devant ta *majari*[6], elle l'a bien gagné. Allons, adieu encore une fois. Ne pense plus à Carmencita, ou elle te ferait épouser une veuve à jambe de bois[7]. »

En parlant ainsi, elle défaisait la barre qui fermait la porte, et une fois dans la rue elle s'enveloppa dans sa mantille et me tourna les talons.

---

1. ***Payllo :*** littéralement, « celui qui n'est pas un Gitan ».
2. **Bonjour :** adieu.
3. **Niais :** stupide.
4. **Si tu prenais la loi d'Égypte :** si tu devenais gitan (on croyait au XIXe siècle que les gitans venaient d'Égypte).
5. **Je suis habillée de laine, mais je ne suis pas mouton :** *me dicas vriardâ de jorpoy, bus ne sino braco.* Proverbe bohémien (note de Mérimée).
6. ***Majari :*** la sainte. La Sainte Vierge (note de Mérimée).
7. **Une veuve à jambe de bois :** potence, qui est veuve du dernier pendu (note de Mérimée).

Clefs d'analyse

Chapitre III, l. 247 à 382

Action et personnages

1. À quel moment de la vie de don José se produit cette nouvelle rencontre avec Carmen ? Don José occupe-t-il alors une position valorisante ? Carmen le lui fait-elle sentir ? Pour quelle raison ?

2. Comment Carmen est-elle habillée quand don José la voit sortir de la calèche ? Quel effet ces habits produisent-ils ? Comparez cette tenue avec celle que portait Carmen aux débuts des chapitres 2 et 3. Que suggère une telle évolution ?

3. Comment Carmen se comporte-t-elle lors de la promenade à Séville ? Quelles comparaisons don José utilise-t-il pour la décrire ? Qu'achète-t-elle à manger, et quel usage fait-elle, pour l'essentiel, de cette nourriture ? Quel est son rapport à l'argent, aux biens matériels, à l'amour ?

4. Pourquoi Carmen s'agace-t-elle enfin de ce que don José veuille regagner sa caserne ?

Langue

5. Quelles sont les caractéristiques les plus générales de la manière de s'exprimer de Carmen ? Commentez tout particulièrement : « Tu es un vrai canari d'habit et de caractère », « tu as un cœur de poulet » et « je suis habillée de laine mais je ne suis pas mouton ».

6. Carmen utilise régulièrement des phrases toutes faites (proverbes, sentences, etc.). Relevez quelques-unes d'entre elles. Quelle conception de la vie expriment-elles ?

7. Relevez les mots étrangers utilisés par Carmen. Sont-ils nombreux ? À quelle langue appartiennent-ils ? Quel est l'effet produit par leur insertion dans le texte français ?

Genre ou thèmes

8. Quel sentiment éprouve don José lorsqu'il guette ce qui se passe derrière les grilles du patio ? Comment la naissance de ce sentiment est-elle progressivement exprimée ? Quelles pulsions ce sentiment éveille-t-il en José ? En quoi leur évocation prépare-t-elle la suite du récit ?

9. Étudiez les différentes manières dont s'y prend Carmen pour dévaloriser constamment don José. En quoi ces différentes dégradations ont-elles une valeur symbolique ?
10. Quel pacte Carmen propose-t-elle à don José ? En quoi incarne-t-elle effectivement la tentation ? Comment la thématique satanique est-elle plus généralement approfondie dans ce passage ?

Écriture

11. Imaginez que, à la fin du passage, don José empêche Carmen de partir et l'oblige à avoir une explication sérieuse avec lui. Rédigez leur conversation, en vous appliquant à faire argumenter chacun des personnages.

Pour aller plus loin

12. « Chien et loup ne font pas longtemps bon ménage ». Comment comprenez-vous littéralement cette phrase ? À quelle fable de La Fontaine fait-elle implicitement allusion ? Comment cette allusion rend-elle efficacement compte de tout ce qui oppose don José à Carmen ?
13. « Tu as rencontré le diable, oui, le diable ». Connaissez-vous d'autres textes littéraires dans lesquels les personnages principaux se voient confrontés au diable ? Quel rôle y joue généralement le diable ? Renseignez-vous tout particulièrement sur le mythe de Faust, et sur ses différentes expressions théâtrale, picturale et musicale.

* *À retenir*

Don José est simultanément confronté à la frivolité de Carmen et à sa propre lâcheté. La Bohémienne confirme son rôle de femme fatale, en entraînant progressivement la chute de son amant.

Décor pour *Carmen*, opéra inspiré par la nouvelle de Mérimée (1875).
Livret de Henri Meilhac et Ludovic Halévy. Compositeur Georges Bizet.
Décorateur Émile Bertin.

Elle disait vrai. J'aurais été sage de ne plus penser à elle ; mais, depuis cette journée dans la rue du Candilejo, je ne pouvais plus songer à autre chose. Je me promenais tout le jour, espérant la rencontrer. J'en demandais des nouvelles à la vieille et au marchand de friture. L'un et l'autre répondaient qu'elle était partie pour Laloro[1], c'est ainsi qu'ils appellent le Portugal. Probablement c'était d'après les instructions de Carmen qu'ils parlaient de la sorte, mais je ne tardai pas à savoir qu'ils mentaient. Quelques semaines après ma journée de la rue du Candilejo, je fus de faction à une des portes de la ville. À peu de distance de cette porte, il y avait une brèche qui s'était faite dans le mur d'enceinte[2] ; on y travaillait pendant le jour, et la nuit on y mettait un factionnaire[3] pour empêcher les fraudeurs. Pendant le jour, je vis Lillas Pastia passer et repasser autour du corps de garde, et causer avec quelques-uns de mes camarades ; tous le connaissaient, et ses poissons et ses beignets encore mieux. Il s'approcha de moi et me demanda si j'avais des nouvelles de Carmen.

« Non, lui dis-je.

– Eh bien, vous en aurez, compère. »

Il ne se trompait pas. La nuit, je fus mis de faction[4] à la brèche. Dès que le brigadier se fut retiré, je vis venir à moi une femme. Le cœur me disait que c'était Carmen. Cependant je criai : « Au large ![5] On ne passe pas !

– Ne faites donc pas le méchant, me dit-elle en se faisant connaître à moi.

– Quoi ! vous voilà, Carmen !

– Oui, mon pays. Parlons peu, parlons bien. Veux-tu gagner un douro[6] ? Il va venir des gens avec des paquets ; laisse-les faire.

– Non, répondis-je. Je dois les empêcher de passer ; c'est la consigne[7].

– La consigne ! la consigne ! Tu n'y pensais pas rue du Candilejo.

---

1. **Laloro :** la (terre) rouge (note de Mérimée).
2. **Le mur d'enceinte :** le mur qui entourait la ville pour en défendre l'accès.
3. **Un factionnaire :** un homme de garde.
4. **De faction :** de garde.
5. **Au large ! :** éloignez-vous d'ici !
6. **Douro :** cinq pesetas (une piastre).
7. **La consigne :** le règlement.

– Ah ! répondis-je, tout bouleversé par ce seul souvenir, cela valait bien la peine d'oublier la consigne ; mais je ne veux pas de l'argent des contrebandiers.

– Voyons, si tu ne veux pas d'argent, veux-tu que nous allions encore dîner chez la vieille Dorothée ?

– Non ! dis-je à moitié étranglé par l'effort que je faisais. Je ne puis pas.

– Fort bien. Si tu es si difficile, je sais à qui m'adresser. J'offrirai à ton officier d'aller chez Dorothée. Il a l'air d'un bon enfant, et il fera mettre en sentinelle un gaillard qui ne verra que ce qu'il faudra voir. Adieu, canari. Je rirai bien le jour où la consigne sera de te pendre. »

J'eus la faiblesse de la rappeler, et je promis de laisser passer toute la bohème[1], s'il le fallait, pourvu que j'obtinsse la seule récompense que je désirais. Elle me jura aussitôt de me tenir parole dès le lendemain, et courut prévenir ses amis, qui étaient à deux pas. Il y en avait cinq, dont était Pastia, tous bien chargés de marchandises anglaises. Carmen faisait le guet. Elle devait avertir avec ses castagnettes dès qu'elle apercevrait la ronde, mais elle n'en eut pas besoin. Les fraudeurs firent leur affaire en un instant.

Le lendemain, j'allai rue du Candilejo. Carmen se fit attendre, et vint d'assez mauvaise humeur.

« Je n'aime pas les gens qui se font prier, dit-elle. Tu m'as rendu un plus grand service la première fois, sans savoir si tu y gagnerais quelque chose. Hier, tu as marchandé avec moi. Je ne sais pas pourquoi je suis venue car je ne t'aime plus. Tiens, va-t'en, voilà un douro pour ta peine. »

Peu s'en fallut que je ne lui jetasse la pièce à la tête, et je fus obligé de faire un effort violent sur moi-même pour ne pas la battre. Après nous être disputés pendant une heure, je sortis furieux. J'errai quelque temps par la ville, marchant deçà et delà comme un fou ; enfin j'entrai dans une église, et, m'étant mis dans le coin le plus obscur, je pleurai à chaudes larmes. Tout d'un coup j'entends une voix :

1. **Toute la bohème :** tous les Bohémiens.

« Larmes de dragon[1] ! J'en veux faire un philtre[2] ! »

Je lève les yeux : c'était Carmen en face de moi.

« Eh bien, mon pays, m'en voulez-vous encore ? me dit-elle. Il faut bien que je vous aime, malgré que j'en aie, car, depuis que vous m'avez quittée, je ne sais ce que j'ai. Voyons, maintenant, c'est moi qui te demande si tu veux venir rue du Candilejo. »

Nous fîmes donc la paix ; mais Carmen avait l'humeur comme est le temps chez nous. Jamais l'orage n'est si près dans nos montagnes que lorsque le soleil est le plus brillant. Elle m'avait promis de me revoir une autre fois chez Dorothée, et elle ne vint pas. Et Dorothée me dit de plus belle qu'elle était allée à Laloro pour les affaires d'Égypte[3].

Sachant déjà par expérience à quoi m'en tenir là-dessus, je cherchais Carmen partout où je croyais qu'elle pouvait être, et je passais vingt fois par jour dans la rue du Candilejo. Un soir, j'étais chez Dorothée, que j'avais presque apprivoisée[4] en lui payant de temps à autre quelque verre d'anisette, lorsque Carmen entra suivie d'un jeune homme, lieutenant dans notre régiment.

« Va-t'en vite », me dit-elle en basque.

Je restai stupéfait, la rage dans le cœur.

« Qu'est-ce que tu fais ici ? me dit le lieutenant. Décampe, hors d'ici ! »

Je ne pouvais faire un pas ; j'étais comme perclus[5]. L'officier, en colère, voyant que je ne me retirais pas, et que je n'avais pas même ôté mon bonnet de police[6], me prit au collet et me secoua rudement. Je ne sais ce que je lui dis. Il tira son épée, et je dégainai. La vieille me saisit le bras, et le lieutenant me donna un coup au front, dont je porte encore la marque. Je reculai, et d'un coup de coude je jetai Dorothée à la renverse ; puis, comme le lieutenant me poursuivait, je lui mis la pointe au corps, et il s'enferra[7].

---

1. **Dragon :** ici, tout à la fois l'animal fabuleux et le soldat appartenant à la cavalerie.
2. **Philtre :** breuvage magique.
3. **Les affaires d'Égypte :** les trafics secrets des Bohémiens.
4. **Apprivoisée :** amadouée.
5. **Perclus :** paralysé.
6. **Je n'avais même pas ôté mon bonnet de police :** marque d'insolence, car les militaires espagnols devaient se découvrir devant leurs supérieurs.
7. **Il s'enferra :** il fut transpercé par mon épée.

Carmen alors éteignit la lampe, et dit dans sa langue à Dorothée de s'enfuir. Moi-même je me sauvai dans la rue, et me mis à courir sans savoir où. Il me semblait que quelqu'un me suivait. Quand je revins à moi, je trouvai que Carmen ne m'avait pas quitté.

480 « Grand niais de canari ! me dit-elle, tu ne sais faire que des bêtises. Aussi bien, je te l'ai dit que je te porterais malheur. Allons, il y a remède à tout, quand on a pour bonne amie une Flamande de Rome[1]. Commence par mettre ce mouchoir sur ta tête, et jette-moi ce ceinturon[2]. Attends-moi dans cette allée. Je reviens dans deux 485 minutes. »

Elle disparut, et me rapporta bientôt une mante rayée qu'elle était allée chercher je ne sais où. Elle me fit quitter[3] mon uniforme, et mettre la mante par-dessus ma chemise. Ainsi accoutré[4], avec le mouchoir dont elle avait bandé la plaie que j'avais à la tête, je 490 ressemblais assez à un paysan valencien, comme il y en à Séville, qui viennent vendre leur orgeat de *chufas*[5]. Puis elle me mena dans une maison assez semblable à celle de Dorothée, au fond d'une petite ruelle. Elle et une autre bohémienne me lavèrent, me pansèrent mieux que n'eût pu le faire un chirurgien-major, me 495 firent boire je ne sais quoi ; enfin, on me mit sur un matelas, et je m'endormis.

Probablement ces femmes avaient mêlé dans ma boisson quelques-unes de ces drogues assoupissantes dont elles ont le secret, car je ne m'éveillai que fort tard le lendemain. J'avais un grand mal de 500 tête et un peu de fièvre. Il fallut quelque temps pour que le souvenir me revînt de la terrible scène où j'avais pris part la veille. Après avoir pansé ma plaie, Carmen et son amie, accroupies toutes les

---

1. **Une Flamande de Rome :** *Flamenca de Roma.* Terme d'argot qui désigne les Bohémiennes ; Roma ne veut pas dire ici la Ville éternelle, mais la nation des Romi ou des « gens mariés », nom que se donnent les Bohémiens. Les premiers qu'on vit en Espagne venaient probablement des Pays-Bas, d'où est venu leur nom de « Flamands » (note de Mérimée).
2. **Ceinturon :** large ceinture militaire.
3. **Quitter :** enlever.
4. **Accoutré :** habillé de manière ridicule.
5. ***Chufas :*** racine bulbeuse dont on fait une boisson assez agréable (note de Mérimée).

deux sur les talons auprès de mon matelas, échangèrent quelques mots de *chipe calli*[1], qui paraissaient être une consultation médi-
505 cale. Puis toutes les deux m'assurèrent que je serais guéri avant peu, mais qu'il fallait quitter Séville le plus tôt possible ; car, si l'on m'y attrapait, j'y serais fusillé sans rémission[2].

« Mon garçon, me dit Carmen, il faut que tu fasses quelque chose ; maintenant que le roi ne te donne plus ni riz ni merluche[3], il faut
510 que tu songes à gagner ta vie. Tu es trop bête pour voler *a pastesas*[4] ; mais tu es leste[5] et fort : si tu as du cœur[6], va-t'en à la côte, et fais-toi contrebandier. Ne t'ai-je pas promis de te faire pendre ? Cela vaut mieux que d'être fusillé. D'ailleurs, si tu sais t'y prendre, tu vivras comme un prince, aussi longtemps que les miñons[7] et les gardes-
515 côtes ne te mettront pas la main sur le collet[8]. »

Ce fut de cette façon engageante que cette diable de fille me montra la nouvelle carrière qu'elle me destinait, la seule, à vrai dire, qui me restât, maintenant que j'avais encouru la peine de mort. Vous le dirai-je, monsieur ? elle me détermina[9] sans beaucoup de peine. Il
520 me semblait que je m'unissais à elle plus intimement par cette vie de hasards et de rébellion. Désormais je crus m'assurer son amour. J'avais entendu souvent parler de quelques contrebandiers qui parcouraient l'Andalousie, montés sur un bon cheval, l'espingole[10] au poing, leur maîtresse en croupe. Je me voyais déjà trottant par monts
525 et par vaux avec la gentille[11] bohémienne derrière moi. Quand je lui parlais de cela, elle riait à se tenir les côtes, et me disait qu'il n'y a

---

1. ***Chipe calli :*** langue bohémienne.
2. **Sans rémission :** sans indulgence.
3. **Ni riz ni merluche :** nourriture ordinaire du soldat espagnol (note de Mérimée). La merluche est de la morue séchée (note de la rédaction).
4. **Voler *a pastesas* :** *ustilar a pastesa,* voler avec adresse, dérober sans violence (note de Mérimée).
5. **Leste :** agile.
6. **Si tu as du cœur :** si tu es courageux.
7. **Miñons :** espèce de corps franc (note de Mérimée).
8. **Ne te mettront pas la main sur le collet :** ne t'attraperont pas.
9. **Elle me détermina :** elle me décida.
10. **Espingole :** court fusil espagnol.
11. **Gentille :** belle.

rien de si beau qu'une nuit passée au bivouac[1], lorsque chaque rom se retire avec sa romi[2] sous sa petite tente formée de trois cerceaux avec une couverture par-dessus.

530 « Si je tiens[3] jamais la montagne, lui disais-je, je serai sûr de toi ! Là, il n'y a pas de lieutenant pour partager avec moi.

– Ah ! tu es jaloux, répondait-elle. Tant pis pour toi. Comment es-tu assez bête pour cela ? Ne vois-tu pas que je t'aime, puisque je ne t'ai jamais demandé d'argent ? »

535 Lorsqu'elle parlait ainsi, j'avais envie de l'étrangler.

Pour le faire court[4], monsieur, Carmen me procura un habit bourgeois, avec lequel je sortis de Séville sans être reconnu. J'allai à Jerez[5] avec une lettre de Pastia pour un marchand d'anisette chez qui se réunissaient des contrebandiers. On me présenta à ces gens-540 là, dont le chef, surnommé le Dancaïre[6], me reçut dans sa troupe. Nous partîmes pour Gaucin[7], où je retrouvai Carmen, qui m'y avait donné rendez-vous. Dans les expéditions, elle servait d'espion à nos gens, et de meilleur il n'y en eut jamais. Elle revenait de Gibraltar, et déjà elle avait arrangé avec un patron de navire l'embarquement de 545 marchandises anglaises que nous devions recevoir sur la côte. Nous allâmes les attendre près d'Estepona[8], puis nous en cachâmes une partie dans la montagne ; chargés du reste, nous nous rendîmes à Ronda[9]. Carmen nous y avait précédés. Ce fut elle encore qui nous indiqua le moment où nous entrerions en ville. Ce premier voyage 550 et quelques autres après furent heureux. La vie de contrebandier me plaisait mieux que la vie de soldat ; je faisais des cadeaux à Carmen. J'avais de l'argent et une maîtresse. Je n'avais guère de remords, car comme disent les bohémiens : Gale avec plaisir ne démange pas[10].

---

1. **Bivouac :** campement, cantonnement en plein air (vocabulaire militaire).
2. **Chaque rom se retire avec sa romi :** chaque mari se retire avec sa femme.
3. **Je tiens :** j'occupe (vocabulaire militaire).
4. **Pour le faire court :** en deux mots.
5. **Jerez :** Xeres, ville andalouse très réputée pour ses vins.
6. **Le Dancaïre :** littéralement, « celui qui joue avec l'argent d'autrui ».
7. **Gaucin :** ville située dans la sierra, au nord de Málaga.
8. **Estepona :** port de pêche proche de Málaga.
9. **Ronda :** ville située dans la sierra, au nord est de Málaga.
10. **Gale avec plaisir ne démange pas :** *sarapia sat pesquital ne punzava* (note de Mérimée).

Partout nous étions bien reçus ; mes compagnons me traitaient bien,
555 et même me témoignaient de la considération. La raison, c'était que j'avais tué un homme, et parmi eux il y en avait qui n'avaient pas un pareil exploit sur la conscience. Mais ce qui me touchait davantage dans ma nouvelle vie, c'est que je voyais souvent Carmen. Elle me montrait plus d'amitié[1] que jamais ; cependant, devant les cama-
560 rades, elle ne convenait pas qu'elle était ma maîtresse ; et même, elle m'avait fait jurer par toutes sortes de serments de ne rien leur dire sur son compte. J'étais si faible devant cette créature, que j'obéissais à tous ses caprices. D'ailleurs, c'était la première fois qu'elle se montrait à moi avec la réserve[2] d'une honnête femme, et j'étais
565 assez simple[3] pour croire qu'elle s'était véritablement corrigée de ses façons d'autrefois.

Notre troupe, qui se composait de huit ou dix hommes, ne se réunissait guère que dans les moments décisifs, et d'ordinaire nous étions dispersés deux à deux, trois à trois, dans les villes et
570 les villages. Chacun de nous prétendait avoir un métier : celui-ci était chaudronnier, celui-là maquignon[4] ; moi, j'étais marchand de merceries, mais je ne me montrais guère dans les gros endroits, à cause de ma mauvaise affaire de Séville. Un jour, ou plutôt une nuit, notre rendez-vous était au bas de Véger[5]. Le Dancaïre et moi,
575 nous nous y trouvâmes avant les autres. Il paraissait fort gai.

« Nous allons avoir un camarade de plus, me dit-il. Carmen vient de faire un de ses meilleurs tours. Elle vient de faire échapper son rom[6] qui était au presidio[7] à Tarifa[8]. »

Je commençais déjà à comprendre le bohémien, que parlaient presque
580 tous mes camarades, et ce mot de rom me causa un saisissement.

« Comment ! son mari ! elle est donc mariée ? demandai-je au capitaine.

---

1. **Amitié :** dans ce contexte, amour.
2. **La réserve :** la décence, la retenue.
3. **Simple :** naïf.
4. **Maquignon :** marchand de chevaux ou de bestiaux, souvent tenu pour malhonnête.
5. **Véger :** ville d'Andalousie.
6. **Son rom :** son mari.
7. **Au presidio :** dans la prison.
8. **Tarifa :** port situé sur le détroit de Gibraltar.

– Oui, répondit-il, à Garcia le Borgne, un bohémien aussi futé qu'elle. Le pauvre garçon était aux galères. Carmen a si bien embo-
585 beliné[1] le chirurgien du presidio, qu'elle en a obtenu la liberté de son rom. Ah ! cette fille-là vaut son pesant d'or. Il y a deux ans qu'elle cherche à le faire évader. Rien n'a réussi jusqu'au moment où l'on s'est avisé de changer le major. Avec celui-ci, il paraît[2] qu'elle a trouvé bien vite le moyen de s'entendre. »

590 Vous vous imaginez le plaisir que me fit cette nouvelle. Je vis bientôt Garcia le Borgne ; c'était bien le plus vilain monstre que la Bohème ait nourri : noir de peau et plus noir d'âme, c'était le plus franc[3] scélérat que j'aie rencontré dans ma vie. Carmen vint avec lui ; et, lorsqu'elle l'appelait son rom devant moi, il fallait voir les
595 yeux qu'elle me faisait, et ses grimaces quand Garcia tournait la tête. J'étais indigné, et je ne lui parlai pas de la nuit.

Le matin nous avions fait nos ballots[4], et nous étions déjà en route, quand nous nous aperçûmes qu'une douzaine de cavaliers étaient à nos trousses. Les fanfarons Andalous, qui ne parlaient
600 que de tout massacrer, firent aussitôt piteuse mine. Ce fut un sauve-qui-peut général. Le Dancaïre, Garcia, un joli garçon d'Ecija[5], qui s'appelait le Remendado[6], et Carmen ne perdirent pas la tête. Le reste avait abandonné les mulets, et s'était jeté dans les ravins où les chevaux ne pouvaient les suivre. Nous ne pouvions conser-
605 ver nos bêtes, et nous nous hâtâmes de défaire le meilleur de notre butin, et de le charger sur nos épaules, puis nous essayâmes de nous sauver au travers des rochers par les pentes les plus raides. Nous jetions nos ballots devant nous, et nous les suivions de notre mieux en glissant sur les talons. Pendant ce temps-là, l'ennemi
610 nous canardait[7] ; c'était la première fois que j'entendais siffler les balles, et cela ne me fit pas grand-chose. Quand on est en vue

1. **Embobeliné :** roulé, séduit par des paroles enjôleuses.
2. **Il paraît :** il apparaît très clairement, il est manifeste.
3. **Franc :** véritable.
4. **Ballots :** paquets pleins de marchandises.
5. **Ecija :** ville située entre Séville et Cordoue, et célèbre pour ses jardins.
6. **Le Remendado :** littéralement, « le Raccommodé » (en raison de ses nombreuses cicatrices).
7. **Nous canardait :** tirait sur nous depuis un lieu couvert.

d'une femme, il n'y a pas de mérite à se moquer de la mort. Nous nous échappâmes, excepté le pauvre Remendado, qui reçut un coup de feu dans les reins. Je jetai mon paquet, et j'essayai de le 615 prendre[1].

« Imbécile ! me cria Garcia, qu'avons-nous affaire d'une charogne[2] ? achève-le et ne perds pas les bas de coton[3].

– Jette-le ! », me criait Carmen.

La fatigue m'obligea de le déposer un moment à l'abri d'un 620 rocher. Garcia s'avança, et lui lâcha son espingole dans la tête[4].

« Bien habile, qui le reconnaîtrait maintenant », dit-il en regardant sa figure que douze balles avaient mise en morceaux.

Voilà, monsieur, la belle vie que j'ai menée. Le soir, nous nous trouvâmes dans un hallier[5], épuisés de fatigue, n'ayant rien à 625 manger et ruinés par la perte de nos mulets. Que fit cet infernal Garcia ? il tira un paquet de cartes de sa poche, et se mit à jouer avec le Dancaïre à la lueur d'un feu qu'ils allumèrent. Pendant ce temps-là, moi, j'étais couché, regardant les étoiles, pensant au Remendado, et me disant que j'aimerais autant être à sa place. 630 Carmen était accroupie près de moi, et de temps en temps, elle faisait un roulement de castagnettes en chantonnant. Puis, s'approchant comme pour me parler à l'oreille, elle m'embrassa, presque malgré moi, deux ou trois fois.

« Tu es le diable, lui disais-je.

635 – Oui », me répondit-elle.

Après quelques heures de repos, elle s'en fut à Gaucin, et le lendemain matin un petit chevrier vint nous porter du pain. Nous demeurâmes là tout le jour, et la nuit nous nous rapprochâmes de Gaucin. Nous attendions des nouvelles de Carmen. Rien ne 640 venait. Au jour, nous voyons un muletier qui menait une femme bien habillée, avec un parasol, et une petite fille qui paraissait sa domestique. Garcia dit :

---

1. **De le prendre :** de prendre le Ramendado.
2. **Une charogne :** un cadavre.
3. **Les bas de coton :** il s'agit là d'une marchandise de contrebande, car l'Espagne ne produisait pas de coton.
4. **Lui lâcha son espingole dans la tête :** lui tira dans la tête avec son espingole.
5. **Hallier :** « réunion de buissons fort épais » (Littré).

« Voilà deux mules et deux femmes que saint Nicolas[1] nous envoie ; j'aimerais mieux quatre mules ; n'importe, j'en fais mon
645 affaire ! »

Il prit son espingole et descendit vers le sentier en se cachant dans les broussailles. Nous le suivions, le Dancaïre et moi, à peu de distance. Quand nous fûmes à portée, nous nous montrâmes, et nous criâmes au muletier de s'arrêter. La femme, en nous voyant,
650 au lieu de s'effrayer, et notre toilette[2] aurait suffi pour cela, fait un grand éclat de rire.

« Ah ! les *lillipendi* qui me prennent pour une *erañi !*[3]»

C'était Carmen, mais si bien déguisée, que je ne l'aurais pas reconnue parlant une autre langue. Elle sauta en bas de sa mule, et
655 causa quelque temps à voix basse avec le Dancaïre et Garcia, puis elle me dit :

« Canari, nous nous reverrons avant que tu sois pendu. Je vais à Gibraltar pour les affaires d'Égypte[4]. Vous entendrez bientôt parler de moi. »

660 Nous nous séparâmes après qu'elle nous eut indiqué un lieu où nous pourrions trouver un abri pour quelques jours. Cette fille était la providence[5] de notre troupe. Nous reçûmes bientôt quelque argent qu'elle nous envoya, et un avis[6] qui valait mieux pour nous : c'était que tel jour partiraient deux milords anglais, allant
665 de Gibraltar à Grenade par tel chemin. À bon entendeur, salut. Ils avaient de belles et bonnes guinées[7]. Garcia voulait les tuer, mais le Dancaïre et moi nous nous y opposâmes. Nous ne leur prîmes que l'argent et les montres, outre les chemises, dont nous avions grand besoin.

---

1. **Saint Nicolas :** ce saint est tout particulièrement connu pour apporter des cadeaux aux enfants sages le jour de sa fête.
2. **Notre toilette :** la manière dont nous étions habillés.
3. **Les *lillipendi* qui me prennent pour une *erañi* :** les imbéciles qui me prennent pour une femme comme il faut (note de Mérimée).
4. **Les affaires d'Égypte :** les trafics secrets des Bohémiens.
5. **La providence :** la source de tous les bonheurs.
6. **Avis :** une information.
7. **Guinées :** pièces d'or anglaises.

670 Monsieur, on devient coquin[1] sans y penser. Une jolie fille vous fait perdre la tête, on se bat pour elle, un malheur arrive, il faut vivre à la montagne, et de contrebandier on devient voleur avant d'y avoir réfléchi. Nous jugeâmes qu'il ne faisait pas bon pour nous dans les environs de Gibraltar après l'affaire des milords, et nous 675 nous enfonçâmes dans la sierra de Ronda. – Vous m'avez parlé de José Maria ; tenez, c'est là que j'ai fait connaissance avec lui. Il menait sa maîtresse dans ses expéditions. C'était une jolie fille, sage, modeste[2], de bonnes manières ; jamais un mot malhonnête, et un dévouement !... En revanche, il la rendait bien malheureuse, 680 il la malmenait, puis quelquefois il s'avisait de[3] faire le jaloux. Une fois, il lui donna un coup de couteau. Eh bien, elle ne l'en aimait que davantage. Les femmes sont ainsi faites, les Andalouses surtout. Celle-là était fière de la cicatrice qu'elle avait au bras, et la montrait comme la plus belle chose du monde. Et puis José Maria, 685 par-dessus le marché, était le plus mauvais camarade !... Dans une expédition que nous fîmes, il s'arrangea si bien, que tout le profit lui en demeura ; à nous les coups et l'embarras de l'affaire. Mais je reprends mon histoire. Nous n'entendions plus parler de Carmen. Le Dancaïre dit :

690 « Il faut qu'un de nous aille à Gibraltar pour en avoir des nouvelles ; elle doit avoir préparé quelque affaire. J'irais bien, mais je suis trop connu à Gibraltar. »

Le Borgne dit :

« Moi aussi, on m'y connaît, j'y ait fait tant de farces aux 695 Écrevisses[4] et, comme je n'ai qu'un œil, je suis difficile à déguiser. – Il faut donc que j'y aille ? dis-je à mon tour, enchanté à la seule idée de revoir Carmen ; voyons, que faut-il faire ? »

Les autres me dirent :

« Fais tant que de t'embarquer ou de passer par Saint Roc[5], comme 700 tu aimeras le mieux, et, lorsque tu seras à Gibraltar, demande sur

---

1. **On devient coquin :** on devient un voleur.
2. **Modeste :** discrète, réservée.
3. **Il s'avisait de :** il lui venait brusquement l'envie de.
4. **Écrevisses :** nom que le peuple, en Espagne, donne aux Anglais à cause de la couleur de leur uniforme (note de Mérimée).
5. **Saint Roc :** ville située sur la baie d'Algésiras.

le port où demeure une marchande de chocolat qui s'appelle la Rollona ; quand tu l'auras trouvée, tu sauras d'elle ce qui se passe là-bas. »

Il fut convenu que nous partirions tous les trois pour la sierra 705 de Gaucin, que j'y laisserais mes deux compagnons, et que je me rendrais à Gibraltar comme un[1] marchand de fruits. À Ronda, un homme qui était à nous m'avait procuré un passeport ; à Gaucin, on me donna un âne : je le chargeai d'oranges et de melons, et je me mis en route. Arrivé à Gibraltar, je trouvai qu'on y connaissait 710 bien la Rollona, mais elle était morte ou elle était allée à *finibus terrae*[2] et sa disparition expliquait, à mon avis, comment nous avions perdu notre moyen de correspondre avec Carmen. Je mis mon âne dans une écurie, et, prenant mes oranges, j'allais par la ville comme pour les vendre, mais, en effet[3], pour voir si je ne rencontrerais pas 715 quelque figure de connaissance. Il y a là force canaille[4] de tous les pays du monde, et c'est la tour de Babel[5], car on ne saurait faire dix pas dans une rue sans entendre parler autant de langues. Je voyais bien des gens d'Égypte[6], mais n'osais guère m'y fier ; je les tâtais[7], et ils me tâtaient. Nous devinions bien que nous étions des coquins[8] ; 720 l'important était de savoir si nous étions de la même bande. Après deux jours passés en courses inutiles, je n'avais rien appris touchant[9] la Rollona ni Carmen, et je pensais à[10] retourner auprès de mes camarades après avoir fait quelques emplettes, lorsqu'en me promenant dans une rue, au coucher du soleil, j'entends une voix 725 de femme d'une fenêtre qui me dit : « Marchand d'oranges !... » Je lève la tête, et je vois à un balcon Carmen, accoudée avec un officier en

---

1. **Comme un :** en me faisant passer pour un.
2. ***A finibus terrae :*** aux galères, ou bien à tous les diables (note de Mérimée). Aux confins de la terre (note de la rédaction).
3. **En effet :** en réalité.
4. **Force canaille :** un très grand nombre de canailles.
5. **C'est la tour de Babel :** on y croise des gens venant de tous les pays et parlant des langues différentes.
6. **Des gens d'Égypte :** des Bohémiens.
7. **Je les tâtais :** je les sondais prudemment.
8. **Coquins :** bandits.
9. **Touchant :** concernant.
10. **Je pensais à :** j'envisageais de.

rouge, épaulettes d'or, cheveux frisés, tournure d'un gros mylord. Pour elle, elle était habillée superbement : un châle sur ses épaules, un peigne d'or, toute en soie ; et la bonne pièce, toujours la même ! 730 riait à se tenir les côtes. L'Anglais, en baragouinant[1] l'espagnol, me cria de monter, que madame voulait des oranges ; et Carmen me dit en basque :

« Monte, et ne t'étonne de rien. »

Rien, en effet, ne devait m'étonner de sa part. Je ne sais si j'eus 735 plus de joie que de chagrin en la retrouvant. Il y avait à la porte un grand domestique anglais, poudré[2], qui me conduisit dans un salon magnifique. Carmen me dit aussitôt en basque :

« Tu ne sais pas un mot d'espagnol, tu ne me connais pas. »

Puis, se tournant vers l'Anglais :

740 « Je vous le disais bien, je l'ai tout de suite reconnu pour un Basque[3] ; vous allez entendre quelle drôle de langue. Comme il a l'air bête, n'est-ce pas ? On dirait un chat surpris dans un garde-manger.

– Et toi, lui dis-je dans ma langue, tu as l'air d'une effrontée coquine, et j'ai bien envie de te balafrer la figure devant ton galant.

745 – Mon galant ! dit-elle, tiens, tu as deviné cela tout seul ? Et tu es jaloux de cet imbécile-là ? Tu es encore plus niais[4] qu'avant nos soirées de la rue du Candilejo. Ne vois-tu pas, sot que tu es, que je fais en ce moment les affaires d'Égypte, et de la façon la plus brillante. Cette maison est à moi, les guinées de l'Écrevisse[5] seront 750 à moi ; je le mène par le bout du nez ; je le mènerai d'où il ne sortira jamais.

– Et moi, lui dis-je, si tu fais encore les affaires d'Égypte de cette manière-là, je ferai si bien que tu ne recommenceras plus.

– Ah ! oui-dà ! Es-tu mon rom, pour me commander ? Le Borgne le 755 trouve bon, qu'as-tu à y voir ? Ne devrais-tu pas être bien content d'être le seul qui se puisse dire mon *minchorrõ*[6] ?

---

1. **En baragouinant :** en parlant de manière très incorrecte.
2. **Poudré :** au visage et/ou aux cheveux couverts d'une fine poudre blanche.
3. **Je l'ai tout de suite reconnu pour un Basque :** j'ai tout de suite reconnu qu'il était Basque.
4. **Niais :** naïf et stupide.
5. **Les guinées de l'Écrevisse :** l'argent de l'Anglais.
6. **Mon *minchorrõ* :** mon amant, ou plutôt mon caprice (note de Mérimée).

– Qu'est-ce qu'il dit ? demanda l'Anglais.
– Il dit qu'il a soif et qu'il boirait bien un coup », répondit Carmen.
Et elle se renversa sur un canapé en éclatant de rire à sa traduction.

Monsieur, quand cette fille-là riait, il n'y avait pas moyen de parler raison. Tout le monde riait avec elle. Ce grand Anglais se mit à rire aussi, comme un imbécile qu'il était, et ordonna qu'on m'apportât à boire.

Pendant que je buvais : « Vois-tu cette bague qu'il a au doigt ? dit-elle, si tu veux, je te la donnerai. »

Moi je répondis :

« Je donnerais un doigt pour tenir ton mylord dans la montagne, chacun un maquila[1] au poing.
– Maquila, qu'est-ce que cela veut dire ? demanda l'Anglais.
– Maquila, dit Carmen riant toujours, c'est une orange. N'est-ce pas un bien drôle de mot pour une orange ? Il dit qu'il voudrait vous faire manger du maquila.
– Oui ? dit l'Anglais. Eh bien ! apporte encore demain du maquila. »

Pendant que nous parlions, le domestique entra et dit que le dîner était prêt. Alors l'Anglais se leva, me donna une piastre[2] et offrit son bras à Carmen, comme si elle ne pouvait pas marcher seule. Carmen, riant toujours, me dit :

« Mon garçon, je ne puis t'inviter à dîner ; mais demain, dès que tu entendras le tambour pour la parade, viens ici avec des oranges. Tu trouveras une chambre mieux meublée que celle de la rue du Candilejo, et tu verras si je suis toujours ta Carmencita. Et puis nous parlerons des affaires d'Égypte. »

Je ne répondis rien, et j'étais dans la rue que l'Anglais me criait : « Apportez demain du maquila ! »

Et j'entendis les éclats de rire de Carmen.

Je sortis ne sachant ce que je ferais, je ne dormis guère, et le matin je me trouvais si en colère contre cette traîtresse, que j'avais résolu de partir de Gibraltar sans la revoir ; mais, au premier roulement de tambour, tout mon courage m'abandonna ; je

1. **Maquila :** bâton ferré des Basques.
2. **Piastre :** pièce de monnaie.

pris ma natte[1] d'oranges et je courus chez Carmen. Sa jalousie[2] était entr'ouverte, et je vis son grand œil noir qui me guettait. Le domestique poudré m'introduisit aussitôt ; Carmen lui donna une commission, et dès que nous fûmes seuls, elle partit d'un de ses éclats de rire de crocodile, et se jeta à mon cou. Je ne l'avais jamais vue si belle. Parée comme une madone, parfumée... des meubles de soie, des rideaux brodés... ah !... et moi fait[3] comme un voleur que j'étais.

« Minchorrô ! disait Carmen, j'ai envie de tout casser ici, de mettre le feu à la maison et de m'enfuir à la sierra. »

Et c'étaient des tendresses !... et puis des rires !... et elle dansait, et elle déchirait ses falbalas[4] ; jamais singe ne fit plus de gambades, de grimaces, de diableries[5]. Quand elle eut repris son sérieux :

« Écoute, me dit-elle, il s'agit de l'Égypte. Je veux qu'il me mène à Ronda, où j'ai une sœur religieuse... (Ici nouveaux éclats de rire.) Nous passons par un endroit que je te ferai dire. Vous tombez sur lui : pillé rasibus[6] ! Le mieux serait de l'escoffier[7] ; mais, ajouta-t-elle avec un sourire diabolique qu'elle avait dans de certains moments, et ce sourire-là, personne n'avait alors envie de l'imiter, – sais-tu ce qu'il faudrait faire ? Que le Borgne paraisse le premier. Tenez-vous un peu en arrière ; l'Écrevisse est brave et adroit : il a de bons pistolets... Comprends-tu ? »

Elle s'interrompit par un nouvel éclat de rire qui me fit frissonner.

« Non, lui dis-je : je hais Garcia, mais c'est mon camarade. Un jour peut-être je t'en débarrasserai, mais nous réglerons nos comptes à la façon de mon pays. Je ne suis Égyptien que par hasard ; et, pour certaines choses, je serai toujours franc Navarrais[8], comme dit le proverbe. »

1. **Natte :** panier.
2. **Jalousie :** volet au travers duquel on peut voir sans être vu.
3. **Fait :** vêtu.
4. **Falbalas :** larges volants plissés au bas d'une robe.
5. **De diableries :** d'espiègleries extravagantes.
6. **Rasibus :** à ras, sans rien lui laisser.
7. **Escoffier :** tuer.
8. **Franc Navarrais :** *Navarro fino* (note de Mérimée).

Elle reprit : « Tu es un bête, un niais, un vrai *payllo*[1]. Tu es
820 comme le nain qui se croit grand quand il a pu cracher loin[2]. Tu ne m'aimes pas, va-t'en. »

Quand elle me disait : Va-t'en !, je ne pouvais m'en aller. Je promis de partir, de retourner auprès de mes camarades et d'attendre l'Anglais ; de son côté, elle me promit d'être malade jusqu'au
825 moment de quitter Gibraltar pour Ronda. Je demeurai encore deux jours à Gibraltar. Elle eut l'audace de me venir voir déguisée dans mon auberge. Je partis ; mois aussi j'avais mon projet. Je retournai à notre rendez-vous, sachant le lieu et l'heure où l'Anglais et Carmen devaient passer. Je trouvai le Dancaïre et Garcia qui m'attendaient.
830 Nous passâmes la nuit dans un bois auprès d'un feu de pommes de pin qui flambait à merveille. Je proposai à Garcia de jouer aux cartes. Il accepta. À la seconde partie, je lui dis qu'il trichait ; il se mit à rire. Je lui jetai les cartes à la figure. Il voulut prendre son espingole ; je mis le pied dessus, et je lui dis : « On dit que tu sais jouer
835 du couteau comme le meilleur jaque[3] de Malaga ; veux-tu t'essayer avec moi ? » Le Dancaïre voulut nous séparer. J'avais donné deux ou trois coups de poing à Garcia. La colère l'avait rendu brave ; il avait tiré son couteau, moi le mien. Nous dîmes tous deux au Dancaïre de nous laisser place libre et franc jeu[4]. Il vit qu'il n'y
840 avait pas moyen de nous arrêter, et il s'écarta. Garcia était déjà ployé[5] en deux comme un chat prêt à s'élancer contre une souris. Il tenait son chapeau de la main gauche pour parer[6] son couteau en avant. C'est leur garde andalouse. Moi, je me mis à la navarraise, droit en face de lui, le bras gauche levé, la jambe gauche en
845 avant, le couteau le long de la cuisse droite. Je me sentais plus fort qu'un géant. Il se lança sur moi comme un trait[7] ; je tournai sur le

---

1. ***Payllo* :** littéralement, « celui qui n'est pas un Gitan ».
2. **Le nain qui se croit grand quand il a pu cracher loin :** *or esorjlé de or narsichislé, sin chismar lachinguel.* Proverbe bohémien. La promesse d'un nain, c'est de cracher loin (note de Mérimée).
3. **Jaque :** mauvais garçon.
4. **Franc jeu :** les coudées franches.
5. **Ployé :** courbé.
6. **Parer :** prévenir ou détourner un coup dans le cadre d'un duel.
7. **Un trait :** une flèche.

pied gauche et il ne trouva plus rien devant lui ; mais je l'atteignis à la gorge, et le couteau entra si avant, que ma main était sous le menton. Je retournai la lame si fort qu'elle se cassa. C'était fini. La
850 lame sortit de la plaie, lancée par un bouillon de sang gros comme le bras. Il tomba sur le nez, raide comme un pieu.

« Qu'as-tu fait ? me dit le Dancaïre.

– Écoute, lui dis-je : nous ne pouvions vivre ensemble. J'aime Carmen, et je veux être seul. D'ailleurs, Garcia était un coquin, et je
855 me rappelle ce qu'il a fait au pauvre Remendado. Nous ne sommes plus que deux, mais nous sommes bons garçons. Voyons, veux-tu de moi pour ami, à la vie, à la mort ? »

Le Dancaïre me tendit la main. C'était un homme de cinquante ans.

« Au diable les amourettes ! s'écria-t-il. Si tu lui avais demandé
860 Carmen, il te l'aurait vendue pour une piastre. Nous ne sommes plus que deux ; comment ferons-nous demain ?

– Laisse-moi faire tout seul, lui répondis-je. Maintenant je me moque du monde entier. »

Nous enterrâmes Garcia, et nous allâmes placer notre camp deux
865 cents pas plus loin. Le lendemain, Carmen et son Anglais passèrent avec deux muletiers et un domestique. Je dis au Dancaïre :

« Je me charge de l'Anglais. Fais peur aux autres, ils ne sont pas armés. »

L'Anglais avait du cœur[1]. Si Carmen ne lui eût poussé[2] le bras, il
870 me tuait. Bref, je reconquis Carmen en ce jour-là et mon premier mot fut de lui dire qu'elle était veuve. Quand elle sut comment cela s'était passé :

« Tu seras toujours un *lillipendi*[3] ! me dit-elle. Garcia devait te tuer. Ta garde navarraise n'est qu'une bêtise, et il en a mis à l'ombre[4] de
875 plus habiles que toi. C'est que son temps était venu. Le tien viendra.

– Et le tien, répondis-je, si tu n'es pas pour moi une vraie romi.

– À la bonne heure, dit-elle ; j'ai vu plus d'une fois dans du marc du café que nous devions finir ensemble. Bah ! arrive qui plante ![5] »

---

1. **Avait du cœur :** était courageux.
2. **Ne lui eût poussé :** ne lui avait poussé.
3. **Un *lillipendi* :** un imbécile.
4. **Il en a mis à l'ombre :** il en a tué.
5. **Arrive qui plante ! :** ce qui doit arriver arrivera.

Et elle fit claquer ses castagnettes, ce qu'elle faisait toujours
880 quand elle voulait chasser quelque idée importune[1].

On s'oublie quand on parle de soi. Tous ces détails-là vous ennuient sans doute, mais j'ai bientôt fini. La vie que nous menions dura assez longtemps. Le Dancaïre et moi nous nous étions associés quelques camarades plus sûrs que les premiers, et nous nous
885 occupions de contrebande, et aussi parfois, il faut bien l'avouer, nous arrêtions sur la grande route, mais à la dernière extrémité et lorsque nous ne pouvions faire autrement. D'ailleurs, nous ne maltraitions pas les voyageurs, et nous nous bornions à leur prendre leur argent. Pendant quelques mois, je fus content de Carmen ; elle
890 continuait à nous être utile pour nos opérations, en nous avertissant des bons coups que nous pourrions faire. Elle se tenait, soit à Malaga, soit à Cordoue, soit à Grenade ; mais, sur un mot de moi, elle quittait tout, et venait me retrouver dans une venta[2] isolée, ou même au bivouac[3]. Une fois seulement, c'était à Malaga, elle me
895 donna quelque inquiétude. Je sus qu'elle avait jeté son dévolu sur[4] un négociant[5] fort riche, avec lequel probablement elle se proposait de recommencer la plaisanterie de Gibraltar. Malgré tout ce que le Dancaïre put me dire pour m'arrêter, je partis et j'entrai dans Malaga en plein jour. Je cherchai Carmen et je l'emmenai aussitôt.
900 Nous eûmes une verte explication[6].

« Sais-tu, me dit-elle, que, depuis que tu es mon rom pour tout de bon, je t'aime moins que lorsque tu étais mon minchorrõ[7] ? Je ne veux pas être tourmentée ni surtout commandée. Ce que je veux, c'est être libre et faire ce qui me plaît. Prends garde de me
905 pousser à bout. Si tu m'ennuies, je trouverai quelque bon garçon qui te fera comme tu as fait au Borgne. »

---

1. **Importune :** désagréable.
2. **Venta :** auberge.
3. **Bivouac :** campement, cantonnement en plein air (vocabulaire militaire).
4. **Elle avait jeté son dévolu sur :** elle s'était entichée de, elle avait décidé de se faire aimer de.
5. **Négociant :** marchand.
6. **Verte explication** : vigoureuse dispute.
7. **Minchorrõ :** amant.

Chapitre III

Le Dancaïre nous raccommoda[1] ; mais nous nous étions dit des choses qui nous restaient sur le cœur et nous n'étions plus comme auparavant. Peu après, un malheur nous arriva. La troupe nous
910 surprit[2]. Le Dancaïre fut tué, ainsi que deux de mes camarades ; deux autres furent pris. Moi, je fus grièvement blessé, et, sans mon bon cheval, je demeurais entre les mains des soldats. Exténué de fatigue, ayant une balle dans le corps, j'allai me cacher dans un bois avec le seul compagnon qui me restât. Je m'évanouis en
915 descendant de cheval, et je crus que j'allais crever dans les broussailles comme un lièvre qui a reçu du plomb. Mon camarade me porta dans une grotte que nous connaissions, puis il alla chercher Carmen. Elle était à Grenade, et aussitôt elle accourut. Pendant quinze jours, elle ne me quitta pas d'un instant. Elle ne ferma pas
920 l'œil ; elle me soigna avec une adresse et des attentions que jamais femme n'a eues pour l'homme le plus aimé. Dès que je pus me tenir sur mes jambes, elle me mena à Grenade dans le plus grand secret. Les bohémiennes trouvent partout des asiles[3] sûrs, et je passai plus de six semaines dans une maison à deux portes du
925 corrégidor[4] qui me cherchait. Plus d'une fois, regardant derrière un volet, je le vis passer. Enfin je me rétablis ; mais j'avais fait bien de réflexions sur mon lit de douleur, et je projetais de changer de vie. Je parlai à Carmen de quitter l'Espagne, et de chercher à vivre honnêtement dans le Nouveau Monde[5]. Elle se moqua de moi.

930 « Nous ne sommes pas faits pour planter des choux, dit-elle ; notre destin, à nous, c'est de vivre aux dépens des payllos[6]. Tiens, j'ai arrangé une affaire avec Nathan Ben-Joseph de Gibraltar. Il a des cotonnades[7] qui n'attendent que toi pour passer. Il sait que tu es vivant. Il compte sur toi. Que diraient nos correspondants de
935 Gibraltar si tu leur manquais de parole ? »

Je me laissai entraîner, et je repris mon vilain commerce.

---

1. **Nous raccommoda :** nous réconcilia.
2. **La troupe nous surprit :** des soldats nous attaquèrent par surprise.
3. **Asiles :** refuges.
4. **Corrégidor :** le plus haut magistrat de la ville.
5. **Le Nouveau Monde :** l'Amérique.
6. **Payllos :** littéralement, « ceux qui ne sont pas des Gitans ».
7. **Cotonnades :** tissus ou vêtements fabriqués en coton.

Pendant que j'étais caché à Grenade, il y eut des courses de taureaux où Carmen alla. En revenant, elle parla beaucoup d'un picador[1] très adroit nommé Lucas. Elle savait le nom de son che-
940 val, et combien lui coûtait sa veste brodée. Je n'y fis pas attention. Juanito, le camarade qui m'était resté, me dit, quelques jours après, qu'il avait vu Carmen avec Lucas chez un marchand du Zacatin. Cela commença à m'alarmer[2]. Je demandai à Carmen comment et pourquoi elle avait fait connaissance avec le picador.

945 « C'est un garçon, me dit-elle, avec qui on peut faire une affaire. Rivière qui fait du bruit, a de l'eau ou des cailloux[3]. Il a gagné douze cents réaux[4] aux courses. De deux choses l'une : ou bien il faut avoir cet argent ; ou bien, comme c'est un bon cavalier et un gaillard de cœur[5], on peut l'enrôler dans notre bande. Un tel et un
950 tel sont morts, tu as besoin de les remplacer. Prends-le avec toi.

– Je ne veux, répondis-je, ni de son argent, ni de sa personne, et je te défends de lui parler.

– Prends garde, me dit-elle ; lorsqu'on me défie de faire une chose, elle est bientôt faite ! »

955 Heureusement, le picador partit pour Malaga, et moi, je me mis en devoir de faire entrer les cotonnades du Juif. J'eus fort à faire dans cette expédition-là. Carmen aussi, et j'oubliai Lucas ; peut-être aussi l'oublia-t-elle, pour le moment du moins. C'est vers ce temps, monsieur, que je vous rencontrai, d'abord près de Montilla, puis,
960 après, à Cordoue. Je ne vous parlerai pas de notre dernière entrevue. Vous en savez peut-être plus long que moi. Carmen vous vola votre montre ; elle voulait encore votre argent, et surtout cette bague que je vois à votre doigt, et qui, dit-elle, est un anneau magique qu'il lui importait beaucoup de posséder. Nous eûmes une violente dispute,
965 et je la frappai. Elle pâlit et pleura. C'était la première fois que je la voyais pleurer, et cela me fit un effet terrible. Je lui demandai pardon,

---

1. **Picador :** cavalier chargé, pendant la corrida, de planter sa pique dans le garrot du taureau.
2. **M'alarmer :** m'inquiéter.
3. **Rivière qui fait du bruit a de l'eau ou des cailloux :** *lens sos sonsi abela Pani o reblendani terela.* Proverbe bohémien (note de Mérimée).
4. **Réaux :** « monnaie d'argent d'Espagne » (Littré).
5. **De cœur :** courageux.

mais elle me bouda pendant tout un jour, et, quand je repartis pour Montilla, elle ne voulut pas m'embrasser. J'avais le cœur gros, lorsque, trois jours après, elle vint me trouver l'air riant et gaie comme pin-
970 son. Tout était oublié, et nous avions l'air d'amoureux de deux jours. Au moment de nous séparer elle me dit :

« Il y a une fête à Cordoue, je vais la voir, puis je saurai les gens qui s'en vont avec de l'argent, et je te le dirai. »

Je la laissai partir. Seul, je pensai à cette fête et à ce changement
975 d'humeur de Carmen. « Il faut qu'elle se soit vengée déjà, me dis-je, puisqu'elle est revenue la première. » Un paysan me dit qu'il y avait des taureaux à Cordoue. Voilà mon sang qui bouillonne, et, comme un fou, je pars, et je vais à la place[1]. On me montra Lucas, et, sur le banc contre la barrière, je reconnus Carmen. Il me suffit de la voir
980 une minute pour être sûr de mon fait. Lucas, au premier taureau, fit le joli cœur[2], comme je l'avais prévu. Il arracha la cocarde[3] du taureau et la porta à Carmen, qui s'en coiffa sur-le-champ. Le taureau se chargea de me venger. Lucas fut culbuté avec son cheval sur la poitrine, et le taureau par-dessus tous les deux. Je regardai
985 Carmen, elle n'était déjà plus à sa place. Il m'était impossible de sortir de celle où j'étais, et je fus obligé d'attendre la fin des courses. Alors j'allai à la maison que vous connaissez, et je m'y tins coi[4] toute la soirée et une partie de la nuit. Vers deux heures du matin, Carmen revint, et fut un peu surprise de me voir.

990 « Viens avec moi, lui dis-je.

– Eh bien ! dit-elle, partons ! »

J'allai prendre mon cheval, je la mis en croupe, et nous marchâmes tout le reste de la nuit sans nous dire un seul mot. Nous nous arrêtâmes au jour dans une venta isolée, assez près d'un petit
995 ermitage[5]. Là je dis à Carmen :

---

1. **À la place :** aux arènes.
2. **Fit le joli cœur :** fit tout pour se montrer séduisant.
3. **Cocarde :** *la divisa*, nœud de rubans dont la couleur indique les pâturages d'où viennent les taureaux. Ce nœud est fixé dans la peau d'un taureau au moyen d'un crochet, et c'est le comble de la galanterie que de l'arracher à l'animal vivant pour l'offrir à une femme (note de Mérimée).
4. **Coi :** muet.
5. **Ermitage :** lieu où habitent les ermites, religieux retirés dans un lieu désert.

« Écoute, j'oublie tout. Je ne te parlerai de rien ; mais, jure-moi une chose : c'est que tu vas me suivre en Amérique, et que tu t'y tiendras tranquille.

– Non, dit-elle d'un ton boudeur, je ne veux pas aller en Amérique.
1000 Je me trouve bien ici.

– C'est parce que tu es près de Lucas : mais songes-y bien, s'il guérit, ce ne sera pas pour faire de vieux os. Au reste, pourquoi m'en prendre à lui ? Je suis las de tuer tous tes amants ; c'est toi que je tuerai. »

1005 Elle me regarda fixement de son regard sauvage, et me dit :

« J'ai toujours pensé que tu me tuerais. La première fois que je t'ai vu, je venais de rencontrer un prêtre à la porte de ma maison[1]. Et cette nuit, en sortant de Cordoue, n'as-tu rien vu ? Un lièvre a traversé le chemin entre les pieds de ton cheval. C'est écrit.

1010 – Carmencita, lui demandais-je, est-ce que tu ne m'aimes plus ? »

Elle ne répondit rien. Elle était assise les jambes croisées sur une natte[2] et faisait des traits par terre avec son doigt.

« Changeons de vie, Carmen, lui dis-je d'un ton suppliant. Allons vivre quelque part où nous ne serons jamais séparés. Tu sais que
1015 nous avons, pas loin d'ici, sous un chêne, cent vingt onces[3] enterrées... Puis, nous avons des fonds[4] encore chez le Juif Ben-Joseph. »

Elle se mit à sourire, et me dit :

« Moi d'abord, toi ensuite. Je sais que cela doit arriver ainsi.

– Réfléchis, repris-je ; je suis au bout de ma patience et de mon
1020 courage ; prends ton parti[5] ou je prendrai le mien. »

Je la quittai et j'allai me promener du côté de l'ermitage. Je trouvai l'ermite qui priait. J'attendis que sa prière fût finie ; j'aurais bien voulu prier, mais je ne pouvais pas. Quand il se releva, j'allai à lui.

« Mon père, lui dis-je, voulez-vous prier pour quelqu'un qui est
1025 en grand péril ?

– Je prie pour tous les affligés, dit-il.

---

1. **Je venais de rencontrer un prêtre à la porte de ma maison :** rencontre de mauvais augure.
2. **Natte :** pièce de tissu servant de tapis ou de couchette.
3. **Onces :** ici, monnaie d'or espagnole.
4. **Des fonds :** de l'argent.
5. **Prends ton parti :** décide-toi.

– Pouvez-vous dire une messe pour une âme qui va peut-être paraître devant son Créateur ?
– Oui », répondit-il en me regardant fixement.

1030 Et, comme il y avait dans mon air quelque chose d'étrange, il voulut me faire parler :

« Il me semble que je vous ai vu », dit-il.

Je mis une piastre[1] sur son banc.

« Quand direz-vous la messe ? lui demandai-je.

1035 – Dans une demi-heure, Le fils de l'aubergiste de là-bas va venir la servir. Dites-moi, jeune homme, n'avez-vous pas quelque chose sur la conscience qui vous tourmente ? voulez-vous écouter les conseils d'un chrétien ? »

Je me sentais près de pleurer. Je lui dis que je reviendrais, et je 1040 me sauvai. J'allai me coucher sur l'herbe jusqu'à ce que j'entendisse la cloche[2]. Alors je m'approchai, mais je restai en dehors de la chapelle. Quand la messe fut dite, je retournai à la venta[3]. J'espérais que Carmen se serait enfuie ; elle aurait pu prendre mon cheval et se sauver... mais je la retrouvai. Elle ne voulait pas qu'on 1045 pût dire que je lui avais fait peur. Pendant mon absence, elle avait défait l'ourlet de sa robe pour en retirer le plomb[4]. Maintenant, elle était devant une table, regardant dans une terrine pleine d'eau le plomb qu'elle avait fait fondre, et qu'elle venait d'y jeter. Elle était si occupée de sa magie qu'elle ne s'aperçut pas d'abord de mon 1050 retour. Tantôt elle prenait un morceau de plomb et le tournait de tous les côtés d'un air triste, tantôt elle chantait quelqu'une de ces chansons magiques où elle invoquent Marie Padilla[5], la maîtresse de don Pedro, qui fut, dit-on la *Bari Crallisa,* ou la grande reine des Bohémiens.

---

1. **Piastre :** pièce de monnaie.
2. **La cloche :** la cloche qui annonce le début de la messe.
3. **La venta :** l'auberge.
4. **Pour en retirer le plomb :** on mettait alors du plomb dans l'ourlet des robes pour leur permettre de tomber bien droites.
5. **Marie Padilla :** on a accusé Marie Padilla d'avoir ensorcelé le roi don Pèdre. Une tradition populaire rapporte qu'elle avait fait présent à la reine Blanche de Bourbon d'une ceinture d'or, qui parut aux yeux fascinés du roi comme un serpent vivant. De là la répugnance qu'il montra toujours pour la malheureuse princesse (note de Mérimée).

1055 « Carmen, lui dis-je, voulez-vous venir avec moi ? »

Elle se leva, jeta sa sébile[1], et mit sa mantille sur sa tête comme prête à partir. On m'amena mon cheval, elle monta en croupe et nous nous éloignâmes.

« Ainsi, lui dis-je, ma Carmen, après un bout de chemin, tu veux 1060 bien me suivre n'est-ce pas ?

– Je te suis à la mort, oui, mais je ne vivrai plus avec toi. »

Nous étions dans une gorge[2] solitaire[3] ; j'arrêtai mon cheval.

« Est-ce ici ? » dit-elle.

Et d'un bond elle fut à terre. Elle ôta sa mantille, la jeta à ses pieds, 1065 et se tint immobile un poing sur la hanche, me regardant fixement.

« Tu veux me tuer, je le vois bien, dit-elle ; c'est écrit, mais tu ne me feras pas céder.

– Je t'en prie, lui dis-je, sois raisonnable. Écoute-moi ! tout le passé est oublié. Pourtant, tu le sais, c'est toi qui m'as perdu ; c'est pour 1070 toi que je suis devenu un voleur et un meurtrier. Carmen ! ma Carmen ! laisse-moi te sauver et me sauver avec toi.

– José, répondit-elle, tu me demandes l'impossible. Je ne t'aime plus ; toi, tu m'aimes encore, et c'est pour cela que tu veux me tuer. Je pourrais bien encore te faire quelque mensonge ; mais je 1075 ne veux pas m'en donner la peine. Tout est fini entre nous. Comme mon rom[4], tu as le droit de tuer ta romi[5] ; mais Carmen sera toujours libre. *Calli*[6] elle est née, *calli* elle mourra.

– Tu aimes donc Lucas ? lui demandai-je.

– Oui, je l'ai aimé, comme toi, un instant, moins que toi peut-être. 1080 À présent, je n'aime plus rien, et je me hais pour t'avoir aimé. »

Je me jetai à ses pieds, je lui pris les mains, je les arrosai de mes larmes. Je lui rappelai tous les moments de bonheur que nous avions passés ensemble. Je lui offris de rester brigand pour lui plaire. Tout, monsieur, tout ; je lui offris tout, pourvu qu'elle voulût 1085 m'aimer encore !

---

1. **Sébile :** coupelle où l'on dépose de l'argent.
2. **Gorge :** vallée étroite et profonde.
3. **Solitaire :** déserte.
4. **Comme mon rom :** en tant que mari.
5. **Romi :** épouse.
6. ***Calli :*** bohémienne.

Elle me dit :

« T'aimer encore, c'est impossible. Vivre avec toi, je ne le veux pas. »

La fureur me possédait. Je tirai mon couteau. J'aurais voulu qu'elle eût peur et me demandât grâce, mais cette femme était un démon.

« Pour la dernière fois, m'écriai-je, veux-tu rester avec moi ?

– Non ! non ! non ! » dit-elle en frappant du pied.

Et elle tira de son doigt une bague que je lui avais donnée, et la jeta dans les broussailles.

Je la frappais deux fois. C'était le couteau du Borgne que j'avais pris, ayant cassé le mien. Elle tomba au second coup sans crier. Je crois encore voir son grand œil noir me regarder fixement ; puis il devint trouble et se ferma. Je restai anéanti[1] une bonne heure devant ce cadavre. Puis, je me rappelai que Carmen m'avait dit souvent qu'elle aimerait à être enterrée dans un bois. Je lui creusai une fosse[2] avec mon couteau, et je l'y déposai. Je cherchai longtemps sa bague, et je la trouvai à la fin. Je la mis dans la fosse auprès d'elle, avec une petite croix. Peut-être ai-je eu tort. Ensuite je montai sur mon cheval, je galopai jusqu'à Cordoue, et au premier corps de garde je me fis connaître. J'ai dit que j'avais tué Carmen ; mais je n'ai pas voulu dire où était son corps. L'ermite était un saint homme. Il a prié pour elle ! Il a dit une messe pour son âme... Pauvre enfant ! Ce sont les *Calés*[3] qui sont coupables pour l'avoir élevée ainsi.

---

1. **Anéanti :** accablé.
2. **Fosse :** tombe.
3. ***Calés :*** il m'a semblé que les Bohémiens allemands, bien qu'ils comprennent parfaitement le mot *Calé*, n'aiment point à être appelés de la sorte. Ils s'appellent entre eux *romané tchavé* (note de Mérimée).

Burlesque on Carmen, 1916. Photographie du film sur *Carmen*, d'après la nouvelle de Mérimée et l'opéra de Georges Bizet. De et avec Charlie Chaplin.

La mort de Carmen. Oléographie de l’opéra comique en 4 actes,
livret de Henri Meilhac et Ludovic Halévy,
compositeur Georges Bizet, 1875.

Clefs d'analyse

Chapitre III, l. 990 à 1110

Action et personnages

1. Quel épisode précède immédiatement la fin de ce chapitre ? Dans quelle série sanglante s'inscrit-il ? Sous quel signe place-t-il d'emblée le dénouement ?
2. Dans quels lieux les personnages évoluent-ils pour la dernière fois ? À quel moment de la nouvelle des lieux similaires se trouvaient-ils évoqués ? Quel est l'effet produit ?
3. Comment est évoqué le personnage de l'ermite ? Sert-il une intention satirique, comme celui du Dominicain du chapitre 2 ?
4. « Viens avec moi », « Partons » : quel est le mode des verbes utilisés au début du passage ? Quels autres exemples de verbes conjugués à ce mode trouvez-vous par la suite ? Quel personnage les emploie ? Quel effet ces injonctions ont-elles sur leur destinataire ? Qu'en déduisez-vous ? Qui domine l'échange, de Carmen ou de don José ?
5. Que signifie le geste de Carmen jetant sa bague dans les broussailles ? Pourquoi ce geste provoque-t-il sa mort ?
6. Dans quelle mesure peut-on dire que la nouvelle connaît un dénouement complet ?

Langue

7. « Quand la messe fut dite » : la notation temporelle a ici un double sens. Lequel ?
8. Relevez les différents adjectifs et adverbes présents dans le dernier paragraphe. Vous semblent-ils nombreux ? Tendent-ils à exprimer les sentiments de don José ?
9. Repérez par ailleurs les connecteurs utilisés. Sont-ils aussi nombreux qu'on aurait pu s'y attendre ? Expriment-ils plutôt des rapports de causalité ou des rapports de temps ?
10. Identifiez enfin le patron syntaxique sur lequel sont construites la plupart des phrases de ce paragraphe. Leur structure vous paraît-elle particulièrement complexe ?
11. Quel est l'effet produit par la conjonction de ces différents phénomènes ?

Genre ou thèmes

12. Évaluez les parts respectives du dialogue et de la narration dans ce dénouement. Cette proportion est-elle fréquente dans *Carmen* ? Vers quel genre littéraire fait-elle pencher le dénouement de cette nouvelle ?
13. Suivant quelles modalités l'échange de Carmen et don José ne cesse-t-il de décliner le thème de l'amour impossible ?
14. Pourquoi Carmen semble-t-elle si résignée à l'idée de mourir ? Relevez ses différentes allusions à l'univers de la fatalité. Quelle tonalité ces allusions confèrent-elles au passage ?
15. Montrez dans quelle mesure ce dénouement fait se croiser une dernière fois toutes les thématiques de la nouvelle.

Écriture

16. « Dites-moi, jeune homme, n'avez-vous pas quelque chose sur la conscience qui vous tourmente ? » Imaginez que don José accepte de confier son dilemme à l'ermite. Que lui dit-il ?
17. L'ermite intervient juste avant que don José poignarde Carmen, et il raisonne les deux amants. Rédigez son argumentation.

Pour aller plus loin

18. Le dénouement de Carmen est une réécriture du dénouement de *Manon Lescaut* écrit au XVIIIe siècle par l'abbé Prévost. Comparez ces deux dénouements et comparez ces deux œuvres. Que pensez-vous du jugement du critique Sainte-Beuve, écrivant que *Carmen* « est une *Manon Lescaut* plus poivrée et à l'espagnole » ?

✻ *À retenir*

Complet et sanglant, le dénouement de *Carmen* confirme l'ancrage tragique de la nouvelle. Les thèmes de l'amour impossible et de la fatalité trouvent leur résolution dans le meurtre de Carmen et dans la résignation de don José à l'idée de sa propre fin.

IV

L'ESPAGNE est un des pays où se trouvent aujourd'hui en plus grand nombre encore, ces nomades[1] dispersés dans toute l'Europe, et connus sous les noms de *Bohémiens, Gitanos, Gypsies, Zigeuner,* etc. La plupart demeurent, ou plutôt mènent une vie errante dans les provinces du Sud et de l'Est, en Andalousie, en Estremadure, dans le royaume de Murcie ; il y en a beaucoup en Catalogne. Ces derniers passent souvent en France. On en rencontre dans toutes nos foires du Midi. D'ordinaire, les hommes exercent les métiers de maquignon[2], de vétérinaire et de tondeur de mulets ; ils y joignent l'industrie de raccommoder les poêlons[3] et les instruments de cuivre, sans parler de la contrebande et autres pratiques illicites[4]. Les femmes disent la bonne aventure, mendient et vendent toutes sortes de drogues[5] innocentes[6] ou non.

Les caractères physiques des Bohémiens sont plus faciles à distinguer qu'à décrire, et lorsqu'on en a vu un seul, on reconnaîtrait entre mille un individu de cette race. La physionomie, l'expression, voilà surtout ce qui les sépare des peuples qui habitent le même pays. Leur teint est très basané[7], toujours plus foncé que celui des populations parmi lesquelles ils vivent. De là le nom de *Calés*[8], les noirs, par lequel ils se désignent souvent. Leurs yeux sensiblement obliques, bien fendus, très noirs, sont ombragés par des cils longs et épais. On ne peut comparer leur regard qu'à celui d'une bête fauve. L'audace et la timidité s'y peignent tout à la fois, et sous ce rapport leurs yeux révèlent assez bien le caractère de la nation, rusée, hardie, mais craignant naturellement les coups comme Panurge[9].

---

1. **Nomades :** personnes sans habitation fixe, allant de régions en régions.
2. **Maquignon :** marchand de chevaux ou de bestiaux, généralement tenu pour malhonnête.
3. **Poêlons :** casserole de métal ou de terre à manche creux.
4. **Illicites :** interdites par la loi.
5. **Drogues :** médicaments douteux.
6. **Innocentes :** inoffensives.
7. **Basané :** bronzé.
8. ***Calés :*** littéralement, « Noirs ».
9. **Panurge :** personnage créé par Rabelais.

Pour la plupart les hommes sont bien découplés[1], sveltes, agiles ; je ne crois pas en avoir jamais vu un seul chargé d'embonpoint[2]. En Allemagne, les Bohémiennes sont souvent très jolies ; la beauté est fort rare parmi les Gitanas d'Espagne. Très jeunes elles peuvent passer pour des laiderons[3] agréables ; mais une fois qu'elles sont mères, elles deviennent repoussantes. La saleté des deux sexes est incroyable, et qui n'a pas vu les cheveux d'une matrone[4] bohémienne s'en fera difficilement une idée, même en se représentant les crins les plus rudes, les plus gras, les plus poudreux. Dans quelques grandes villes d'Andalousie, certaines jeunes filles, un peu plus agréables que les autres, prennent plus de soin de leur personne. Celles-là vont danser pour de l'argent, des danses qui ressemblent fort à celles que l'on interdit dans nos bals publics du carnaval. M. Borrow[5], missionnaire anglais, auteur de deux ouvrages fort intéressants sur les Bohémiens d'Espagne, qu'il avait entrepris de convertir, aux frais de la Société biblique, assure qu'il est sans exemple qu'une Gitana ait jamais eu quelque faiblesse pour un homme étranger à sa race. Il me semble qu'il y a beaucoup d'exagération dans les éloges qu'il accorde à leur chasteté. D'abord, le plus grand nombre est dans le cas de la laide d'Ovide[6] : *Casta quam nemo rogavit*[7]. Quant aux jolies, elles sont comme toutes les Espagnoles, difficiles dans le choix de leurs amants. Il faut leur plaire, il faut les mériter. M. Borrow cite comme preuve de leur vertu un trait qui fait honneur à la sienne, surtout à sa naïveté. Un homme immoral de sa connaissance, offrit, dit-il, inutilement plusieurs onces[8] à une jolie Gitana. Un Andalou, à qui je racontai cette anecdote, prétendit que cet homme immoral aurait eu plus de succès en montrant deux ou trois piastres[9], et qu'offrir des onces d'or

1. **Découplés :** bâtis.
2. **Chargé d'embonpoint :** gros.
3. **Laiderons :** jeunes filles laides.
4. **Matrone :** femme grosse et vulgaire.
5. **M. Borrow :** voyageur et linguiste anglais contemporain de Mérimée.
6. **Ovide :** poète latin auteur des *Amours* et des *Métamorphoses*.
7. ***Casta quam nemo rogavit :*** femme chaste (parce que) sans prétendant.
8. **Onces :** monnaie d'or espagnole.
9. **Piastres :** pièces de monnaie.

à une Bohémienne, était un aussi mauvais moyen de persuader, que de promettre un million ou deux à une fille d'auberge. – Quoi qu'il en soit il est certain que les Gitanas montrent à leurs maris un dévouement extraordinaire. Il n'y a pas de danger ni de misères qu'elles ne bravent pour les secourir en leurs nécessités. Un des noms que se donnent les Bohémiens, *Romé* ou les « époux », me paraît attester le respect de la race pour l'état de mariage. En général on peut dire que leur principale vertu est le patriotisme, si l'on peut ainsi appeler la fidélité qu'ils observent dans leurs relations avec les individus de même origine qu'eux, leur empressement à s'entr'aider, le secret inviolable qu'ils se gardent dans les affaires compromettantes. Au reste, dans toutes les associations mystérieuses et en dehors des lois, on observe quelque chose de semblable.

J'ai visité, il y a quelques mois, une horde[1] de Bohémiens établis dans les Vosges. Dans la hutte d'une vieille femme, l'ancienne de sa tribu, il y avait un Bohémien étranger à sa famille, attaqué d'une maladie mortelle. Cet homme avait quitté un hôpital où il était bien soigné, pour aller mourir au milieu de ses compatriotes. Depuis treize semaines il était alité[2] chez ses hôtes, et beaucoup mieux traité que les fils et les gendres qui vivaient dans la même maison. Il avait un bon lit de paille et de mousse avec des draps assez blancs, tandis que le reste de la famille, au nombre de onze personnes, couchaient sur des planches longues de trois pieds[3]. Voilà pour leur hospitalité. La même femme, si humaine pour son hôte, me disait devant le malade : *Singo, singo, homte hi mulo.* « Dans peu, dans peu, il faut qu'il meure. » Après tout, la vie de ces gens est si misérable, que l'annonce de la mort n'a rien d'effrayant pour eux.

Un trait remarquable du caractère des Bohémiens, c'est leur indifférence en matière de religion ; non qu'ils soient esprits forts ou sceptiques. Jamais ils n'ont fait profession d'athéisme. Loin de là, la religion du pays qu'ils habitent est la leur ; mais ils en changent en changeant de patrie. Les superstitions qui, chez les peuples grossiers remplacent les sentiments religieux, leur sont également

1. **Horde :** bande sauvage et indisciplinée.
2. **Alité :** malade, et donc couché dans un lit.
3. **Trois pieds :** environ 1,30 m.

étrangères. Le moyen, en effet, que des superstitions existent[1] chez des gens qui vivent le plus souvent de la crédulité des autres. Cependant, j'ai remarqué chez les Bohémiens espagnols une horreur singulière pour le contact d'un cadavre. Il y en a peu qui consentiraient pour de l'argent à porter un mort au cimetière.

J'ai dit que la plupart des Bohémiennes se mêlaient de dire la bonne aventure. Elles s'en acquittent fort bien. Mais ce qui est pour elles une source de grands profits, c'est la vente des charmes[2] et des philtres amoureux. Non seulement elles tiennent[3] des pattes de crapauds pour fixer les cœurs volages[4], ou de la poudre de pierre d'aimant pour se faire aimer des insensibles[5] ; mais elles font au besoin des conjurations puissantes qui obligent le diable à leur prêter son secours. L'année dernière, une Espagnole me racontait l'histoire suivante : Elle passait un jour dans la rue d'Alcalà, fort triste et préoccupée ; une Bohémienne accroupie sur le trottoir lui cria : « Ma belle dame, votre amant vous a trahi. » C'était la vérité. « Voulez-vous que je vous le fasse revenir ? » On comprend avec quelle joie la proposition fut acceptée, et quelle devait être la confiance inspirée par une personne qui devinait ainsi, d'un coup d'œil, les secrets intimes du cœur. Comme il eût été impossible de procéder à des opérations magiques dans la rue la plus fréquentée de Madrid, on convint d'un rendez-vous pour le lendemain. « Rien de plus facile que de ramener l'infidèle à vos pieds, dit la Gitana. Auriez-vous un mouchoir, une écharpe, une mantille[6] qu'il vous ait donnée ? » On lui remit un fichu de soie. « Maintenant cousez avec de la soie cramoisie, une piastre dans un coin du fichu. Dans un autre coin cousez une demi-piastre ; ici, une piécette ; là, une pièce d'or. Un doublon serait le mieux. » On coud le doublon et le reste. « À présent, donnez-moi le fichu, je vais le porter au Campo

---

1. **Le moyen, en effet, que des superstitions existent :** comment des superstitions pourraient-elles exister ?
2. **Charmes :** ici, objets et/ou substances magiques.
3. **Tiennent :** ont en réserve et vendent.
4. **Volages :** infidèles.
5. **Des insensibles :** des femmes indifférentes à l'amour qu'elles ont éveillé.
6. **Mantille :** longue écharpe de soie, de résille ou de dentelle, généralement noire, dont les Espagnoles se couvrent la tête et les épaules.

Santo[1], à minuit sonnant. Venez avec moi, si vous voulez voir une belle diablerie[2]. Je vous promets que dès demain vous reverrez celui que vous aimez. » La Bohémienne partit seule pour le Campo Santo, car on avait trop peur des diables pour l'accompagner. Je vous laisse à penser si la pauvre amante délaissée a revu son fichu et son infidèle.

Malgré leur misère et l'espèce d'aversion qu'ils inspirent, les Bohémiens jouissent cependant d'une certaine considération parmi les gens peu éclairés[3], et ils en sont très vains[4]. Ils se sentent une race supérieure pour l'intelligence et méprisent cordialement[5] le peuple qui leur donne l'hospitalité. « Les Gentils[6] sont si bêtes, me disait une Bohémienne des Vosges, qu'il n'y a aucun mérite à les attraper. L'autre jour, une paysanne m'appelle dans la rue, j'entre chez elle. Son poêle[7] fumait, et elle me demande un sort pour le faire aller. Moi, je me fais d'abord donner un bon morceau de lard. Puis, je me mets à marmotter quelques mots en rommani. "Tu es bête, je disais, tu es née bête, bête tu mourras..." Quand je fus près de la porte, je lui dis en bon allemand : "Le moyen infaillible d'empêcher ton poêle de fumer, c'est de n'y pas faire de feu." Et je pris mes jambes à mon cou. »

L'histoire des Bohémiens est encore un problème. On sait à la vérité que leurs premières bandes, fort peu nombreuses, se montrèrent dans l'est de l'Europe, vers le commencement du XVe siècle ; mais on ne peut dire ni d'où ils viennent, ni pourquoi ils sont venus en Europe, et, ce qui est plus extraordinaire, on ignore comment ils se sont multipliés en peu de temps d'une façon si prodigieuse dans plusieurs contrées fort éloignées les unes des autres. Les Bohémiens eux-mêmes n'ont conservé aucune tradition sur leur origine, et si la plupart d'entre eux parlent de l'Égypte comme

1. **Au Campo-Santo :** au cimetière.
2. **Diablerie :** cérémonie à laquelle participent les diables.
3. **Éclairés :** intelligents et instruits.
4. **Vains :** fiers et vaniteux.
5. **Cordialement :** de tout leur cœur.
6. **Les Gentils :** ici, les non-Bohémiens.
7. **Poêle :** appareil de chauffage, où l'on faisait brûler un combustible (bois, charbon...).

145 de leur patrie primitive, c'est qu'ils ont adopté une fable[1] très anciennement répandue sur leur compte[2].

La plupart des orientalistes qui ont étudié la langue des Bohémiens croient qu'ils sont originaires de l'Inde. En effet, il paraît qu'un grand nombre de racines et beaucoup de formes
150 grammaticales du rommani se retrouvent dans des idiomes[3] dérivés du sanscrit. On conçoit que dans leurs longues pérégrinations[4], les Bohémiens ont adopté beaucoup de mots étrangers. Dans tous les dialectes[5] du rommani, on retrouve quantité de mots grecs. Par example : *cocal,* os, de χόχχαλον ; *pétalli,* fer de cheval, de πέταλον ;
155 *cafi,* clou, de carφiv, etc. Aujourd'hui les Bohémiens ont presque autant de dialectes différents qu'il existe de hordes de leur race séparées les unes des autres. Partout ils parlent la langue du pays qu'ils habitent plus facilement que leur propre idiome, dont ils ne font guère usage que pour pouvoir s'entretenir librement devant
160 des étrangers. Si l'on compare le dialecte des Bohémiens de l'Allemagne avec celui des Espagnols, sans communication avec les premiers depuis des siècles, on reconnaît une très grande quantité de mots communs ; mais la langue originale partout, quoiqu'à différents degrés, s'est notablement altérée par le contact des langues
165 plus cultivées, dont ces nomades ont été contraints de faire usage. L'allemand, d'un côté, l'espagnol, de l'autre, ont tellement modifié le fond du rommani, qu'il serait impossible à un Bohémien de la Forêt-Noire de converser avec un de ses frères andalous, bien qu'il leur suffît d'échanger quelques phrases pour reconnaître qu'ils parlent
170 tous les deux un dialecte dérivé du même idiome. Quelques mots d'un usage très fréquent sont communs, je crois, à tous les dialectes ; ainsi, dans tous les vocabulaires que j'ai pu voir : *pani* veut dire de l'eau, *manro,* du pain, *mâs,* de la viande, *lon,* du sel.

Les noms de nombre sont partout à peu près les mêmes. Le
175 dialecte allemand me semble beaucoup plus pur que le dialecte

1. **Fable :** légende.
2. **Sur leur compte :** à leur sujet.
3. **Idiomes :** langues considérées comme l'ensemble des moyen d'expression propres à une communauté.
4. **Pérégrinations :** voyages incessants, errances.
5. **Dialectes :** langues régionales.

espagnol ; car il a conservé nombre de formes grammaticales primitives, tandis que les Gitanos ont adopté celles du castillan. Pourtant quelques mots font exception pour attester l'ancienne communauté de langage. Les prétérits[1] du dialecte allemand se forment
180 en ajoutant *ium* à l'impératif qui est toujours la racine du verbe. Les verbes, dans le rommani espagnol, se conjuguent tous sur le modèle des verbes castillans de la première conjugaison. De l'infinitif *jamar,* manger, on devrait régulièrement faire *jamé,* j'ai mangé, de *lillar,* prendre, on devrait faire *lillé,* j'ai pris. Cependant quelques
185 vieux Bohémiens disent par exception : *jayon, lillon.* Je ne connais pas d'autres verbes qui aient conservé cette forme antique[2].

Pendant que je fais ainsi étalage de mes minces connaissances dans la langue rommani, je dois noter quelques mots d'argots français que nos voleurs ont empruntés aux Bohémiens. *Les Mystères*
190 *de Paris*[3] ont appris à la bonne compagnie que *chourin* voulait dire couteau. C'est du rommani pur ; *tchouri* est un de ces mots communs à tous les dialectes. M. Vidocq[4] appelle un cheval « grès », c'est encore un mot bohémien *gras, gre graste, gris.* Ajoutez encore le mot « romamichel » qui dans l'argot parisien désigne les Bohémiens.
195 C'est la corruption de *rommané tchavé,* gars bohémiens. Mais une étymologie dont je suis fier, c'est celle de « frimousse », mine, visage, mot que tous les écoliers emploient ou employaient de mon temps. Observez d'abord que Oudin, dans son curieux dictionnaire, écrivait en 1640, « firlimousse ». Or, *firla, fila* en rommani veut dire visage,
200 *mui* a la même signification, c'est exactement *os* des Latins. La combination *firlamui* a été sur-le-champ comprise par un Bohémien puriste[5], et je la crois conforme au génie de sa langue[6].

En voilà assez pour donner aux lecteurs de *Carmen*, une idée avantageuse de mes études sur le rommani. Je terminerai par ce
205 proverbe qui vient à propos : *En retudi panda nasti abela macha.* En close bouche, n'entre point mouche.

---

1. **Prétérits :** temps du passé.
2. **Antique :** ancienne.
3. ***Les Mystères de Paris :*** roman très populaire écrit par Eugène Sue (1804-1857).
4. **M. Vidocq :** ancien bandit devenu chef de la police, auteur des *Vrais Mystères de Paris.* Balzac s'en est inspiré pour son personnage Vautrin.
5. **Puriste :** défendant la pureté du langage.
6. **Au génie de sa langue :** à ce qui fonde la spécificité et l'originalité de sa langue.

Décor pour *Carmen*, 1875. Livret de Henri Meilhac et Ludovic Halévy.
Compositeur Georges Bizet. Décorateur Émile Bertin.
D'après la nouvelle de Mérimée.

Clefs d'analyse

Chapitre IV

Action et personnages

1. Qui parle dans ce dernier chapitre ? Qui parlait dans le premier chapitre ? Quels autres points communs peut-on relever entre l'ouverture et la conclusion de la nouvelle ?
2. L'auteur dit-il ici souvent *je* ? En quelles occasions ? Quelle image de lui ces différentes occurrences du « je » permettent-elles de construire ?
3. Ces considérations sur les Bohémiens s'enchaînent-elles naturellement avec la fin du chapitre précédent ? Carmen et don José y sont-ils explicitement évoqués ? Quels liens avec l'histoire des deux amants assurent pourtant la réussite de la greffe ?
4. Quel est le plan suivi dans l'ensemble du chapitre ? Étudiez sa progression. L'auteur s'est-il contenté de juxtaposer toutes les parties de son plan ? Repérez les endroits où il s'est employé à ménager des transitions. Repérez ceux où il a délibérément renoncé à le faire.
5. Identifiez les différents récits enchâssés dans ce chapitre. Comment sont-ils construits ? Quel rapport entretiennent-ils avec le discours général ? Quelle est leur fonction ?

Langue

6. Quel est le temps de l'indicatif le plus souvent employé dans ce chapitre ? Quelle est sa valeur ? Quel est l'effet produit ?
7. Relevez les termes péjoratifs et laudatifs utilisés pour évoquer les Bohémiens. Sont-ils en proportions égales ? Comment se trouve régulièrement atténuée l'expression des qualités prêtées aux Bohémiens ?
8. Recherchez la véritable étymologie de « frimousse ». Quel est le nom actuel du « chourin » des *Mystères de Paris* ? À quel niveau de langage ce nom appartient-il ? Et à quel verbe a-t-il donné naissance ?

Genre ou thèmes

9. Ce retour au récit cadre, à la suite du chapitre 3, est au principe d'un surprenant passage du particulier au général, et de la parole romanesque au discours théorique et savant. Quelle en est la fonction ?
10. Comment s'exprime la prétention à la généralité et à l'objectivité de ce chapitre ? Les considérations du narrateur sont-elles pour autant exemptes de subjectivité ?
11. L'intention didactique de l'auteur de ce chapitre est-elle toujours si claire ? À quels endroits apparaît-elle minée par l'ironie et l'autodérision ? Comment ceux-ci amènent-ils à réinterpréter l'ensemble du chapitre et l'ensemble de la nouvelle ?

Écriture

12. Des critiques ont reproché à Mérimée l'immoralité du sujet de *Carmen*. Répondez-leur à sa place de manière argumentée, en vous justifiant de votre fascination pour les Bohémiens.

Pour aller plus loin

13. Renseignez-vous sur *Les Mystères de Paris* et sur leur auteur. Dans quelle tradition romanesque cette œuvre s'inscrit-elle ? Quelles sont les ramifications de cette tradition tout au long du XIXe siècle ? Effectuez notamment quelques recherches sur Alexandre Dumas, Paul Féval et Ponson du Terrail.

* *À retenir*

Le dernier chapitre de *Carmen* met la fiction et son pathos à distance, au profit d'un exposé en apparence très sérieux concernant les Bohémiens. Mais les éléments de l'exposé font régulièrement écho aux épisodes de la fiction précédente et, sous la froide objectivité du discours encyclopédique, ne cessent de pointer les tentations contraires du romanesque et de l'ironie.

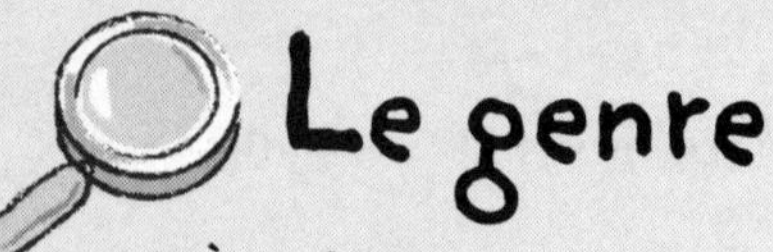

Le genre

1. À quel genre appartient *Carmen* ?

☐ a. le traité ;
☐ b. la comédie ;
☐ c. le roman épistolaire ;
☐ d. la nouvelle ;
☐ e. la fable.

2. Quels auteurs français se sont tout particulièrement illustrés dans ce genre ?

☐ a. Marguerite de Navarre ;
☐ b. Marcel Proust ;
☐ c. Barbey d'Aurevilly ;
☐ d. Alphonse Allais ;
☐ e. Guy de Maupassant ;
☐ f. Choderlos de Laclos ;
☐ g. Paul Morand ;
☐ h. Jean de La Bruyère.

3. De quelles formes littéraires *Carmen* s'inspire-t-elle par ailleurs ?

☐ a. le roman de science-fiction ;
☐ b. la tragédie classique ;
☐ c. le roman noir ;
☐ d. le roman picaresque ;
☐ e. la chanson de geste.

4. Dans *Carmen*, la narration est traitée de manière :

☐ a. romantique ;
☐ b. réaliste ;
☐ c. fantastique ;
☐ d. ironique ;
☐ e. burlesque.

5. *Carmen* est racontée :

☐ a. par un narrateur hétérodiégétique ;
☐ b. par un narrateur homodiégétique ;

☐ c. par un narrateur hétérodiégétique et un narrateur homodiégétique ;
☐ d. par deux narrateurs hétérodiégétiques ;
☐ e. par deux narrateurs homodiégétiques.

6. Le récit est :
☐ a. en focalisation zéro ;
☐ b. en focalisation interne ;
☐ c. en focalisation externe.

L'histoire

1. Quel est le sujet principal de *Carmen* ?
☐ a. une enquête policière menée sur un meurtre ;
☐ b. une histoire d'amour impossible ;
☐ c. une vendetta ;
☐ d. la vie d'une troupe de brigands.

2. Que diriez-vous de l'action de *Carmen* (plusieurs réponses sont possibles) ?
☐ a. qu'elle progresse globalement de manière simple et rapide ;
☐ b. qu'elle est constamment ralentie par de longues descriptions ;
☐ c. qu'elle suit un cours sinueux, en raison des multiples ramifications de l'intrigue ;
☐ d. qu'elle est resserrée autour d'un petit nombre de personnages.

3. Parmi les groupes d'actions suivantes du chapitre I, barrez celles qui n'ont pas lieu dans *Carmen* :
☐ a. le narrateur effectue une promenade archéologique dans Séville ;
☐ b. il rencontre le célèbre bandit José-Maria ;
☐ c. il lui offre un cigare ;

- ☐ d. il passe la nuit avec lui à la venta del Perro ;
- ☐ e. il le trahit ;
- ☐ f. il lui permet de fuir avant l'arrivée de la police.

4. Parmi les groupes d'actions suivantes du chapitre II, barrez celles qui n'ont pas lieu dans *Carmen* :

- ☐ a. le narrateur poursuit ses recherches archéologiques à Cordoue ;
- ☐ b. il y rencontre au bord du Guadalquivir une gitane nommée Carmen ;
- ☐ c. il va manger une glace avec elle ;
- ☐ d. il lui donne sa montre en or ;
- ☐ e. il essuie la colère de don José ;
- ☐ f. don José lui rend sa montre ;
- ☐ g. il retrouve don José quelques mois plus tard dans un couvent de Dominicains ;
- ☐ h. il le retrouve deux jours avant son exécution ;
- ☐ i. don José lui confie la médaille d'argent qu'il portait à son cou.

5. Parmi les groupes d'actions suivantes du chapitre III, barrez celles qui n'ont pas lieu dans *Carmen* :

- ☐ a. don José rencontre Carmen à Séville, devant la manufacture de tabac ;
- ☐ b. Carmen se moque de lui et de son épinglette ;
- ☐ c. il l'aide à s'échapper des griffes de la police ;
- ☐ d. elle lui permet à son tour de s'évader de sa prison, en lui faisant parvenir une petite lime anglaise ;
- ☐ e. de faction à l'une des portes de la ville, il l'aide de bon cœur à faire passer en contrebande des marchandises anglaises ;
- ☐ f. il tue le commandant amoureux de Carmen ;
- ☐ g. il tue Remendado ;
- ☐ h. il tue Garcia le Borgne ;
- ☐ i. il tue l'Anglais ;
- ☐ j. il tue le Dancaïre ;
- ☐ k. il tue Lucas ;
- ☐ l. il tue Carmen dans une gorge déserte et l'enterre dans une forêt.

Les personnages

1. Reliez chaque personnage à ses deux caractéristiques principales :

1. le narrateur •	• a. lucide
2. don José •	• b. faible
3. Carmen •	• c. jaloux (-se)
4. Garcia le Borgne •	• d. conciliateur (-trice)
5. le Dancaïre •	• e. cruel (-le)
6. l'Anglais •	• f. courageux (-se)
	• g. vaniteux (-se)
	• h. violent (-e)
	• i. amoral (-e)
	• j. érudit (-e)
	• k. naïf (-ve)
	• l. libre

2. Qui a dit quoi ? Rendez ces citations à leur auteur.

don José – Carmen – le narrateur – son guide – le Dominicain – l'ermite – Garcia le Borgne – l'Anglais – le Dancaïre.

1. Larmes de dragon ! j'en veux faire un philtre.

2. Apportez demain du maquila !

3. Vous qui aimez à connaître les singularités de notre pays, vous ne devez pas négliger d'apprendre comment en Espagne les coquins sortent de ce monde.

4. La vie de ces gens est si misérable, que l'annonce de la mort n'a rien d'effrayant pour eux.

5. Qu'avons-nous à faire d'une charogne ?

6. Demain, il fera jour !

7. Vous direz que je suis mort, vous ne direz pas comment.

8. Ah ! [...] comme il y avait longtemps que je n'avais fumé !

9. Je crois que vous êtes du pays de Jésus, à deux pas du paradis.

10. Toute la journée je vous ai fait des signes que vous n'avez pas voulu comprendre.

11. Voulez-vous écouter les conseils d'un chrétien ?

12. Au diable les amourettes !

13. Je te suis à la mort, oui, mais je ne vivrai plus avec toi.

La composition

1. Choisissez parmi les mots de la liste suivante, et complétez le texte :

deuxième – troisième – Manon Lescaut – amours impossibles – Madame Bovary – simultanés – antérieurs – postérieurs – Garcia le Borgne – récit enchâssé – analepse – prolepse – nuits – strophes – abyme – abîme – chapitres – récit-cadre – don José.

Carmen est divisée en quatre .... mais le récit des .... de Carmen et de .... n'occupe lui-même que le .... d'entre eux. En effet, cette histoire n'est pas le .... de *Carmen*, mais seulement un .... dans le récit-cadre : ce principe de composition par mise en .... caractérise également d'autres œuvres littéraires comme *Les Mille et Une* .... ou comme .... Dans *Carmen*, les événements du récit enchâssé étant par ailleurs .... aux événements du récit-cadre, on parlera à leur sujet d'................ narrative.

2. Reconstituez le résumé de la nouvelle en classant ces actions dans l'ordre chronologique

1. Don José retrouve Carmen devant la porte d'un colonel où on l'a mis en faction.

2. Don José se rend à la police.

3. Don José tue Garcia le Borgne dont il était jaloux.

4. Le narrateur fait la connaissance de don José près de Montilla.

5. Carmen est arrêtée par don José, après avoir mutilé une ouvrière de la manufacture de tabac.

6. Don José tue Carmen.

7. Le narrateur permet à don José d'échapper à la police.

8. Don José tue un lieutenant qui était l'amant de Carmen.

9. Don José passe avec Carmen une inoubliable journée à Séville.

10. Le narrateur fait la connaissance de Carmen, qui lui dérobe sa montre.

11. Don José, dégradé, est jeté en prison.

12. Carmen trompe un riche Anglais et le fait tomber dans une embuscade.

13. Don José tombe amoureux de Carmen devant la manufacture de tabac.

14. Carmen tombe amoureuse d'un picador.

15. Don José commence à mener une vie de contrebandiers.

16. Carmen explique à don José qu'elle ne l'aime plus.

17. Don José apprend l'existence du mari de Carmen, nommé Garcia le Borgne.

18. Le guide du narrateur trahit don José.

19. Don José aide Carmen et ses amis à faire passer en contrebande des marchandises anglaises dans Séville.

20. Le narrateur est sauvé des griffes de Carmen par don José.

21. Don José aide Carmen à s'évader sur le chemin de sa prison.

22. Don José déserte et s'enfuit avec Carmen.

23. Quelques mois plus tard, à Cordoue, Don José confie son histoire au narrateur, peu avant d'être exécuté.

L'écriture

1. Associez à chaque mot sa définition ou son synonyme :

1. alcade •	• I. défenseur
2. asile •	• II. comprendre
3. avis •	• III. tuer
4. bivouac •	• IV. belle
5. cassie •	• V. agile
6. champion •	• VI. encourager quelqu'un à…
7. châsse •	• VII. soldat appartenant à la cavalerie
8. coi •	• VIII. massif de buissons fort épais
9. déterminer •	• IX. forme de panier ; pièce de tissu servant de tapis ou de couchette
10. escoffier •	
11. se détourner •	• X. juge
12. dragon •	• XI. inoffensif
13. entendre •	• XII. abondance et facilité de paroles

14. espingole •
15. falbalas •
16. gaillard •
17. gentille •
18. gueuse •
19. hallier •
20. innocent •
21. insigne •
22. leste •
23. mantille •
24. maquignon •
25. mécréant •
26. minois •
27. natte •
28. nymphe •
29. offusquer •
30. perclus •
31. présent •
32. presser quelqu'un de… •
33. réserve •
34. se raviser •
35. simple •
36. vain •
37. volubilité •

• XIII. déesse mythologique d'un rang inférieur ; ou bien jeune femme au corps gracieux
• XIV. muet
• XV. jeune visage délicat
• XVI. paralysé
• XVII. cantonnement en plein air
• XVIII. athée
• XIX. changer d'avis
• XX. cadeau
• XXI. décence, retenue
• XXII. coffre où sont conservées les reliques d'un saint
• XXIII. larges volants plissés au bas d'une robe
• XXIV. fier et vaniteux
• XXV. information
• XXVI. longue écharpe dont les Espagnoles se couvrent la tête et les épaules
• XXVII. illustre
• XXVIII. refuge
• XXIX. vexer, choquer
• XXX. faire un détour
• XXXI. décider
• XXXII. jeune mendiante débauchée
• XXXIII. naïf
• XXXIV. fleur jaune
• XXXV. marchand de chevaux ou de bestiaux
• XXXVI. grivois, obscène
• XXXVII. court fusil espagnol

2. Associez à chaque mot étranger sa traduction :

1. barratcea •
2. chipe calli •
3. cuarto •
4. douro •
5. erañi •
6. gaspacho •
7. gitanilla •
8. hidalgo •
9. jaque •
10. lilipendi •
11. manzanilla •
12. maquila •
13. minchorrô •
14. neveria •
15. papelitos •
16. payllo •
17. presidio •
18. regalia •
19. rom •
20. romalis •
21. turon •
22. venta •
23. yemas •
24. zorzico •

• I. imbéciles
• II. mauvais garçon
• III. café muni d'une glacière
• IV. personne n'étant pas gitane
• V. cigares
• VI. bâton ferré des Basques
• VII. jaunes d'œufs sucrés
• VIII. mari
• IX. auberge
• X. langue des Bohémiens
• XI. prison (forteresse)
• XII. soupe froide et épicée
• XIII. danse des pays basques, accompagnée de chants
• XIV. quart de peseta
• XV. danse tzigane
• XVI. homme prétendant appartenir à la plus pure noblesse espagnole
• XVII. enclos, jardin
• XVIII. amant
• XIX. « femme comme il faut »
• XX. nougat espagnol
• XXI. cigarettes
• XXII. diminutif de « Gitane »
• XXIII. cinq pesatas (une piastre)
• XXIV. vin blanc produit près de Séville

POUR APPROFONDIR

Thèmes et prolongements

La nouvelle

Parti du roman (*Chronique du temps de Charles IX*, 1829), Mérimée s'essaie aussitôt après à la nouvelle. *Carmen* illustre avec éclat ce genre littéraire bien particulier que son auteur porta à une forme de perfection.

Un roman court

Une nouvelle peut se définir comme un roman court, abrégé, réduit à l'essentiel, et se déroulant, contrairement au conte, dans un cadre réaliste. Cet idéal de concision appelle nécessairement le choix d'une action simple, menée à vive allure, et la suppression de tout élément qui viendrait ralentir ou encombrer le cours du récit. C'est ainsi que, en tant que nouvelliste, Mérimée privilégie constamment la suggestion à l'explication.

« Je hais les détails inutiles », pouvait-on lire sous sa plume, dans le *Théâtre de Clara Gazul*. Dans *Carmen*, quinze ans plus tard, pas ou peu de longues descriptions, et guère plus d'intérêt pour la psychologie des personnages : sacrifiant à une esthétique du peu (une esthétique « convergente », selon les termes de l'auteur), Mérimée y met en œuvre une écriture efficace et rapide, simplement attachée à la narration des faits bruts et à la sobre mise en valeur des principaux rebondissements. En quelques pages se voit ainsi concentrée une matière romanesque des plus riches et des plus abondantes, suffisant à inscrire *Carmen* au croisement du roman picaresque et du roman d'initiation.

Une mise à distance subtile du romanesque

Cette prise en charge du romanesque dans *Carmen* demeure néanmoins ambiguë. Auteur ironique par excellence, Mérimée ne cesse de jouer avec les stéréotypes du roman d'aventures et de mettre malicieusement à distance l'aventure elle-même.

Un bon indice en est l'autodérision dont fait preuve le narrateur au tout début (« En attendant que ma dissertation résolve enfin le problème géographique qui tient toute l'Europe savante en suspens ») et à la toute fin de la nouvelle (« En close bouche n'entre point mouche ») : comme le suggère un tel effet de boucle, rien dans *Carmen* ne doit être pris pour argent comptant et les intentions de l'auteur n'y sont jamais aussi pures qu'on pourrait le croire.

Concrètement, de fait, Mérimée dans cette œuvre ne cesse de railler les attentes romanesques de ses personnages et celles, par ricochet, de ses propres lecteurs. Don José croit-il avoir les faveurs de Carmen ? Cédant, non sans ridicule, aux charmes d'une vision des plus stéréotypées, il se voit « déjà trottant par monts et par vaux avec la gentille Bohémienne derrière [lui] ». Le narrateur géographe lui-même rencontre-t-il un inconnu au détour d'un chemin ? Il s'imagine aussitôt être aux côtés du mythique bandit José-Maria, en frémit de plaisir, divague complaisamment – et tout le récit vient nourrir son phantasme (« Ah ! Seigneur don José », s'écrie par exemple la vieille aubergiste), jusqu'à ce que son guide le sorte de sa confusion (« C'est José Navarro »).

Aussi le romanesque dans *Carmen* est-il plus généralement miné par une fréquente mise à distance du romanesque et de ses codes, le lecteur étant régulièrement empêché d'être dupe, et de participer de plain-pied et sans arrière-pensée aux aventures des personnages. Exemplaire en ce sens est d'ailleurs tout le dernier chapitre, par lequel Mérimée se donne les moyens d'évacuer la charge dramatique de son récit en mettant ce dernier en abyme dans un discours encyclopédique à portée générale… et fortement teinté d'ironie.

✣ Le tragique

La conception de la nouvelle mise en œuvre dans *Carmen* témoigne de l'influence non seulement du roman, mais encore de la tragédie classique sur l'art de Mérimée.

La prégnance de la fatalité

Carmen se présente d'emblée comme l'histoire d'une déchéance annoncée. La structure de la nouvelle, et la manière dont l'histoire de don José se trouve plus précisément enchâssée dans un récit-cadre, élimine en ce sens tout suspens. Avant même que le bandit commence à raconter sa vie, le lecteur sait déjà quelle en sera l'issue. Du coup, tout le récit de don José apparaît dès l'abord tendu vers la fin dramatique qui est la sienne, comme le début d'une tragédie apparaît d'emblée tendu vers sa catastrophe finale.

Le fait que le récit de don José se présente au lecteur comme une vaste analepse n'est du reste pas le seul élément responsable de l'atmosphère tragique de *Carmen*. Au sein même de ce récit, de nombreuses prolepses contribuent elles aussi à établir un climat des plus menaçants, comme lorsque don José avoue : « j'aurais été sage de ne plus penser à elle » ou : « je [...] ramassai [la fleur] et je la mis précieusement dans ma veste. Première sottise ! ». Ces différents effets d'annonce sont d'ailleurs relayés par plusieurs notations manifestant la superstition (« j'ai lu plus d'une fois dans du marc de café que nous devions finir ensemble ») et le fatalisme (« *Calli* elle est née, *calli* elle mourra » ; « Tu veux me tuer [...] ; c'est écrit ») de personnages pour qui tout semble joué d'avance et dont la chute semble inexorable.

Il est révélateur à cet égard que don José apparaisse toujours au lecteur comme un héros si faible et si irréfléchi, toujours impliqué comme malgré lui dans sa propre existence (« on devient coquin sans y penser ») et constamment agi par des forces et des passions qui le dépassent (« j'étais si faible devant cette créature que j'obéissais à tous ses caprices », « la fureur me possédait », « je ne sais ce qui me prit »). Prisonnier de son propre destin, comme le suggère son impossibilité de fuir en Amérique, alors terre de liberté par excellence, don José n'a jamais aucune prise sur ce qu'il vit et en est réduit, comme Carmen, mais aussi bien, comme tout héros tragique, à attendre simplement sa fin.

L'épure racinienne

Il y a du reste de l'épure racinienne dans le tragique de *Carmen*.
Tout comme Racine dramaturge, Mérimée s'attache à « une action simple [ici, l'amour impossible de Carmen et don José] et qui, s'avançant par degrés vers sa fin, n'est soutenue que par les intérêts, les sentiments et les passions », toujours violentes et destructrices, « des personnages » (préface de *Britannicus*).
Tout comme Racine, de plus, il privilégie, outre des fins sanglantes, des caractères monstrueux – ici celui de Carmen, « cette femme était un démon » – outrageusement déformés aux fins de la catharsis. C'est ainsi que, dans l'œuvre de Mérimée, un sens très sûr du tragique relaie de manière parfaitement cohérente une passion affirmée pour les médailles antiques : dans la médaille grecque, en effet, « les parties marquantes [...] sont exagérées et traitées avec grand soin, tandis que les autres sont négligées ». Mais de ce fait, « cette dernière médaille frappe beaucoup plus et laisse une impression durable et profonde » *(Journal de Prosper Mérimée)*.

✣ Carmen, une femme fatale

En déformant de manière *monstrueuse* les traits de Carmen, c'est-à-dire en exagérant certains détails et en s'interdisant à l'inverse certaines nuances, Mérimée a réussi à marquer les consciences et à donner la vie à un archétype romanesque des plus saisissants : celui de la femme fatale.

Un personnage opaque

Une des caractéristiques les plus saillantes de Carmen est son caractère insaisissable. Chez elle, nulle constance et nulle continuité. Tout au long de la nouvelle, la jeune femme ne cesse de changer de costumes et de visages, tour à tour railleuse et attentive, douce et inhumaine. Par exemple, si elle n'arrête pas de se moquer de don José et ce, dès le début de leur relation, elle est aussi toujours la première à se dévouer à lui corps et âme dès qu'il s'agit de le soigner. De même, s'il lui arrive bien souvent de manifester une évidente générosité (elle « alluma [sa cigarette] à un bout de corde enflammé qu'un enfant nous apporta moyennant un sou »), il lui arrive également de se montrer parfois sous un jour des plus inhumains (comme pendant la mort de Remendado).

Du reste, vivant toujours dans l'instant, la fantasque Gitane apparaît encore d'autant plus difficile à cerner qu'elle ajoute au tour capricieux de son caractère un goût avoué pour le jeu et pour la comédie, comme en témoigne sa propension à se travestir (« C'était Carmen, mais si bien déguisée… ») ou à se composer des masques comme une actrice éprouvée (« elle serrait les dents et roulait des yeux comme un caméléon »).

Parfaitement insaisissable, notre héroïne n'en est ainsi que plus attirante et troublante, *charmante*, en un mot, conformément à l'étymologie latine de son prénom.

L'érotisme et le mal

La séduction du personnage est d'ailleurs assurée par deux autres traits convergents : son érotisme provocant, d'une part, et son caractère diabolique, de l'autre.

Significativement, les brèves descriptions de Carmen font une large part aux notations sensuelles rendant explicitement compte de l'attrait physique du personnage. Ainsi, le jour de sa première rencontre avec don José, la Gitane « portait un jupon rouge fort court [...] Elle écartait sa mantille afin de montrer ses épaules », et elle laisse voir en définitive « une paire de jambes ! [...] aussi vite que bien tournées ».

Cependant, la séduction exercée par Carmen prend vite un visage inquiétant. Il n'est d'ailleurs pas indifférent que, à l'occasion de leur premier rendez-vous, la Gitane ait soin d'emmener son amant dans la « rue du Serpent ». Incarnant la tentation, Carmen incarne par là-même le diable et ne s'en cache pas (« tu as rencontré le diable, oui, le diable »). En tant que séductrice hors pair, elle détourne don José du droit chemin qu'il aurait dû suivre, en l'amenant à plusieurs reprises à violer la loi. Et en tant que femme fatale, elle l'entraîne plus radicalement sur les voies de la déchéance sociale et morale, comme le symbolise la dégradation du jeune brigadier au début du chapitre 3.

L'attrait de Carmen est en définitive l'attrait du danger, la recherche de l'amour venant à se confondre en elle avec celle de la mort. Comme l'avoue don José au moment où Carmen lui lance sa fleur de cassie, « cela me fit l'effet d'une balle qui m'arrivait ». Et dans cette confession infiniment trouble, se dit ainsi toute la séduction complexe de la femme fatale : Éros et Thanatos indissolublement liés.

✣ Carmen : évolutions d'un mythe

Plus qu'un archétype de femme fatale, Carmen est aussi devenue un mythe, dont se sont emparés différents artistes à la suite de Mérimée.

En amont de la nouvelle

À l'origine, Carmen n'est qu'une jeune cabaretière évoquée par Mérimée dans sa quatrième *Lettre d'Espagne* (1831), « une très jolie fille, point trop basanée » que l'on soupçonne d'être une sorcière, mais qui reste, en tant que telle, totalement dépourvue d'épaisseur romanesque. Il faut donc attendre une quinzaine d'années pour que Carmen devienne pleinement ce qu'elle est dans la nouvelle éponyme, le souvenir de la jeune fille entraperçue lors du voyage en Espagne de 1830 se trouvant alors fécondé par le personnage de Manon Lescaut, par la lecture des *Tziganes* de Pouchkine et de la *Gitanella* de Cervantès, et par la consultation de divers ouvrages érudits consacrés à l'Espagne et aux Bohémiens.

Avatars du personnage

Avouons-le franchement, la Carmen de Mérimée laissa la France de 1845 parfaitement indifférente.

Dès 1852, cependant, T. Gautier se réappropria le personnage, par le biais d'un poème d'*Émaux et Camées* célébrant, à grand renfort d'allusions malicieuses à une Espagne de pacotille, la dimension provocante et la charge fortement érotique de la *gitanella*.

En 1875, surtout, l'opéra de Bizet donna naissance à un véritable mythe. Si ses premières représentations furent loin d'être un succès, la faveur du public alla croissant et eut tôt fait d'imposer Carmen parmi les héroïnes les plus populaires de la scène lyrique.

Force est pourtant de le reconnaître, le livret rédigé par Meilhac et Halévy tend à affadir grandement la nouvelle de Mérimée. Entre leurs mains, Don José devient un héros brutal et sommaire hésitant entre son amour pour Carmen et le dévouement de la pudique orpheline que sa mère voudrait le voir épouser. Et Carmen, pour sa part, reste globalement la femme fatale qu'elle était chez Mérimée, mais, en passant sur la scène, elle perd l'essentiel de son mystère. Exotisme facile, amples effusions lyriques... Tout ce qui était suggéré dans la nouvelle se voit désormais lourdement appuyé, aux dépens de la complexité des personnages.

Il n'empêche : drapée dans les tentures rouge sang d'une espagnolade à grand spectacle, et par ailleurs transcendée par la musique extrêmement efficace de Bizet, la Carmen chantante de 1875 a suscité un culte grandissant, au point d'éclipser aujourd'hui la Gitane de 1845.

C'est à la suite de l'opéra, en tout cas, que se sont multipliées sans répit les réinterprétations du mythe de Carmen. Le destin de l'héroïne au cinéma tout au long du XXe siècle est en cela exemplaire. Burlesque chez Chaplin, flamenco chez Saura, mélodramatique chez Preminger, Carmen à l'écran aura eu tous les visages.

Un des plus singuliers reste cependant celui que lui modela J.-L. Godard, dans son remarquable *Prénom Carmen* de 1984. Renonçant à l'Espagne de carton-pâte surimposé au mythe par l'opéra de Bizet, le cinéaste revient au cœur tragique de la nouvelle, en replaçant un chœur et la notion de fatalité au centre de la narration. Surtout, il ose réassumer la violence de Mérimée en filmant ses métaphores et ses comparaisons à la lettre. La fleur jetée par Carmen avait-elle fait l'effet d'une balle à don José ? Carmen et Joseph à l'écran tomberont donc amoureux lors d'une fusillade. Dérangeante et sauvage, opaque et fascinante, la *Carmen* de Godard retrouve ainsi par les voies de l'avant-garde cinématographique la violence et le magnétisme du mythe originel.

Textes et images

✥ Le mythe de Carmen

Documents :

❶ Théophile Gautier, « Carmen », *Émaux et Camées*, 1852.

❷ Bizet, Meilhac et Halévy, *Carmen*, acte I, 1875.

❸ Jean-Luc Godard, *Prénom Carmen*, 1984.

❹ Aquarelle de Mérimée représentant Carmen et don José, 1845.

❺ *Carmen*. Affiche de la version filmée de l'opéra de Bizet, proposée par Francesco Rosi, 1984.

❶ Carmen est maigre – un trait de bistre
Cerne son œil de gitana.
Ses cheveux sont d'un noir sinistre,
Sa peau, le diable la tanna.

Les femmes disent qu'elle est laide,
Mais tous les hommes en sont fous :
Et l'archevêque de Tolède
Chante la messe à ses genoux ;

Car sur sa nuque d'ambre fauve
Se tord un énorme chignon
Qui, dénoué, fait dans l'alcôve
Une mante à son corps mignon.

Et, parmi sa pâleur, éclate
Une bouche aux rires vainqueurs ;
Piment rouge, fleur écarlate,
Qui prend sa pourpre au sang des cœurs.

Ainsi faite, la moricaude
Bat les plus altières beautés,
Et de ses yeux la lueur chaude
Rend la flamme aux satiétés.

Elle a, dans sa laideur piquante,
Un grain de sel de cette mer
D'où jaillit, nue et provocante,
L'âcre Vénus du gouffre amer.

❷ CARMEN – L'amour est un oiseau rebelle
Que nul ne peut apprivoiser,
Et c'est bien en vain qu'on l'appelle
S'il lui convient de refuser.
Rien n'y fait, menace ou prière,
L'un parle bien, l'autre se tait ;
Et c'est l'autre que je préfère :
Il n'a rien dit mais il me plaît.
Chœur – L'amour est un oiseau rebelle, *etc.*
Carmen – L'amour est enfant de bohème,
Il n'a jamais connu de loi.
Si tu ne m'aimes pas, je t'aime,
Et si tu m'aimes, prends garde à toi ! *etc.*
Chœur – Prends garde à toi ! *etc.*

❸ *[Recherchés par la police à la suite d'un braquage d'une banque, Joseph et Carmen se sont réfugiés dans un appartement vide au bord de la mer, propriété de l'oncle de Carmen, un cinéaste fou.]*

Plan 1. Intérieur jour. L'appartement de l'oncle.
Un couloir. Carmen ouvre la porte sur laquelle s'adossait Joseph.
Joseph – Oh pardon ! Vous avez pu téléphoner ?
Affairé à se déchausser, Joseph empêche Carmen de traverser le couloir.
Carmen – Mais poussez-vous, merde !
Joseph – Excusez-moi.
Carmen – Non. Je vous demande pardon. Moi.
Joseph – Qu'est-ce qu'il y a ?
Carmen – Je vous expliquerai.
Joseph – Je ne demande pas mieux.

Textes et images

Carmen – Petit soldat ! Je vais voir s'il y a quelque chose à manger.
Joseph sort du couloir pour entrer dans une pièce aux volets fermés, plongée dans l'obscurité.

Plan 2. Intérieur nuit. La pièce en question.
Carmen, *qui revient de la cuisine en riant.* – Il est complètement fou ! Il a un magnétophone dans le frigo !
Elle ouvre la fenêtre et Joseph en pousse violemment un des battants contre elle.
Joseph – Excusez-moi...
Carmen – Oh... *(Parcourant la pièce.)* C'est vrai que c'est vide, hein ?
Joseph – Chez qui on est ?
Carmen, *le plaquant soudainement contre un mur.* – Tirez-vous !
Joseph – Non !
Carmen, *lâchant Joseph et s'éloignant.* – Attirez-moi !
Joseph – Oui !
Il saisit Carmen par la taille et la jette contre le mur.

Plan 3. Extérieur jour. Une aire d'autoroute.
Des policiers sortent précipitamment d'une station Mobil pour s'engouffrer dans leur voiture.

Plan 4. Extérieur jour. La plage.
Carmen marche seule au bord de la mer, au seul son d'un quatuor de Beethoven.

Plan 5. Intérieur jour. L'appartement de l'oncle, d'abord traversé par la musique du quatuor, puis par le seul bruit des vagues.
Carmen ouvre la fenêtre et en pousse violemment un des battants contre Joseph. Ils s'assoient sur le sol.
Carmen – De quoi vous avez envie ?
Joseph – Maintenant ? De... Et vous ?
Carmen, *se déchaussant et lançant violemment ses chaussures contre le mur.* – De quoi j'ai envie ? Dans la vie ? De montrer aux gens ce qu'une femme fait avec un homme.
Joseph – Avec un homme ? Comment elle lui parle ?
Carmen – Non. Pas du tout. Ce qu'elle fait à un homme.

Plan 6. Extérieur jour. La mer.
Les flots passent sur des rochers, au seul son du quatuor.

Plan 7. Intérieur contre-jour. L'appartement.
La conversation de Carmen et Joseph est entièrement recouverte par le bruit des vagues mêlé à la musique du quatuor.

Plan 8. Extérieur jour. La mer.
Les vagues déferlent sur la plage au seul son du quatuor.

Plan 9. Intérieur jour. L'appartement, traversé par le bruit des vagues.
Carmen – J'ai habité ici, chez un de mes oncles. Je devais avoir treize ou quatorze ans. *(Elle rit.)* Là-bas c'était le salon et ici c'était sa chambre. Sa chambre… On va faire un film avec des copains.
Joseph – Ah bon.
Carmen – Ouais, un documentaire, enfin, on sait pas encore.
Joseph – Et c'est pour ça que vous attaquez une banque ?
Carmen – Mais plus tard ! plus tard ! Quand mes amis seront là je vous expliquerai. Je téléphone encore demain et puis…
Ses paroles sont recouvertes par le bruit des vagues.
Carmen – Bon, poussez-vous, maintenant.
Joseph – Non, tout de suite ! Expliquez-moi !
Carmen – Et si je vous disais de vous tirer, maintenant ?
Joseph – Non.
Carmen – Je vous attire…
Joseph, *lui posant une main sur l'épaule.* – Oui.
Carmen – Peut-être… moi aussi.

Plan 10. Extérieur jour. Le bord de mer.
La plage boueuse, traversée par le cri des mouettes et la musique du quatuor.

Plan 11. Intérieur jour. Une pièce résonnant de la musique du quatuor.
Quatre concertistes en pleine répétition.
Le chef d'orchestre, *à Claire, l'une des concertistes.* – Pousse. Un. Deux. Monte ! Plus rien, hein. Tire. Et vibre !

Plan 12. Intérieur, contre-jour. L'appartement de l'oncle, traversé par le bruit des vagues.
Joseph debout, torse nu, hésite à déboutonner le chemisier de Carmen qui regarde par la fenêtre.

Plan 13. Intérieur jour. La salle de répétition.
Les concertistes répètent le quatuor.
Plan 14. Intérieur, contre-jour. L'appartement de l'oncle, traversé par le seul bruit des vagues.
Carmen, *à Joseph, toujours torse nu devant elle et hésitant manifestement à la déshabiller.* – Allez-y idiot ! *(Il lui arrache violemment sa chemise et s'agenouille devant elle.)* Doucement ! Doucement !
Joseph, *à qui Carmen tire les cheveux.* - Aïe !
Carmen – C'est comme ça.
Joseph, *à genoux, la tête entre les mains de Carmen qui le tient par les cheveux.* – Pourquoi est-ce que les femmes existent ?

Plan 15. Extérieur jour. La mer.
Des rochers baignés par les flots, au son du quatuor mêlé au bruit des vagues.

Plan 16. Intérieur jour. La salle de répétition, d'abord traversée par le bruit de la mer puis par la seule musique du quatuor.
Gros plan sur Claire, qui attend le moment de rentrer dans la partition.
Le chef d'orchestre, *hors champ* – Attention, Claire.
Claire, *tout en commençant à jouer sa partie.* – Montre ta puissance, destin. Nous ne sommes pas nos propres maîtres. Ce qui est décidé…

Plan 17. Extérieur nuit. La mer.
Les vagues déferlent sur la plage, au son du seul quatuor.
Claire, *voix off* – … doit être.

Plan 18. Intérieur, contre-jour. L'appartement de l'oncle, baigné par la seule musique du quatuor.
Les deux amants sont nus et, d'un mouvement brusque, Carmen, dont on ne voit que le dos, fait basculer le corps de Joseph sur le lit.
Claire, *voix off* – Ainsi soit-il.
Brusque arrêt du quatuor. Bruit des vagues.

4

Pour approfondir

Textes et images

5

Prod DB © Gaumont / DR
CARMEN de Francesco Rosi 1984

Pour approfondir

✥ Étude des textes

Savoir lire

1. De ces trois textes, lequel est un portrait et duquel l'exotisme a-t-il tout à fait disparu ?
2. La dimension tragique du mythe de *Carmen* est-elle également envisagée par les trois textes ?
3. Expliquez le jeu de mot présent dans l'aria de Bizet : « l'amour est enfant de bohème ». En quoi témoigne-t-il d'une entreprise d'affadissement du mythe originel ?
4. Quel rôle joue, dans le film de Godard, l'usage du montage alterné et le jeu si singulier sur le son ? Que symbolisent l'apparition fugitive des policiers, la présence de la mer, celle du groupe de musiciens ?

Savoir faire

5. Rédigez le portrait d'une Carmen d'aujourd'hui.
6. Discutez la réinterprétation godardienne du mythe mériméen.

✥ Étude des images

Savoir analyser

1. Repérez les touches d'exotisme présentes dans l'aquarelle de Mérimée. Vous paraissent-elles très prononcées ? Que suggère la position de Carmen ? Qu'essaie-t-elle de faire ? Don José la regarde-t-il ? À votre avis, pourquoi ? À quel épisode de l'œuvre correspond cette aquarelle ?
2. Quels éléments de l'affiche du film de Rosi contribuent à donner de Carmen l'image d'une femme libre et provocante ? Dans quel lieu se tient l'héroïne ? Pourquoi ? À quels personnages appartiennent, selon vous, les deux visages esquissés en arrière-plan ? Que suggèrent leur estompement ?

Savoir faire

3. Vous mettez en scène pour le théâtre l'épisode de Carmen évoqué par l'aquarelle de Mérimée. Rédigez le texte de la scène ainsi que les instructions.
4. Montrez en quoi l'affiche du film de F. Rosi témoigne du net infléchissement du mythe de Carmen opéré par l'opéra de Bizet, et discutez la pertinence de cette relecture.

✥ La corrida

Documents :

❶ Prosper Mérimée, *Lettres d'Espagne*, I, 1831.

❷ Michel Leiris, *La Course de taureaux*, 2e éd., Fourbis, p. 68-69.

❸ Jean Cocteau, *La Corrida du 1er mai*, Grasset, 1957, p. 84-86.

❹ Francis Cabrel, *La Corrida*, 1994.

❺ Photographie du Français Nimeño II, prise par Philippe Caron, le 15 mai 1989, à Vic-Vezansac.

❻ Pablo Picasso, *Toros y toreros*, lavis d'encre de Chine sur papier, 1959.

❶ Il faut en convenir à la honte de l'humanité, la guerre avec toutes ses horreurs a des charmes extraordinaires, surtout pour ceux qui la contemplent à l'abri.
[...] vous savez que je n'ai pas les goûts d'un anthropophage. La première fois que j'entrai dans le cirque de Madrid, je craignis de ne pouvoir supporter la vue du sang que l'on y faisait libéralement couler ; je craignais surtout que ma sensibilité, dont je me défiais, ne me rendît ridicule devant les amateurs endurcis qui m'avaient donné une place dans leur loge. Il n'en fut rien. Le premier taureau qui parut fut tué ; je ne pensais plus à sortir. Deux heures s'écoulèrent sans le moindre entracte, et je n'étais pas encore fatigué. Aucune tragédie au monde ne m'avait intéressé à ce point.
[...] Dernièrement, un picador, nommé Francisco Sevilla, fut renversé et son cheval éventré par un cheval andalou, d'une force et d'une agilité prodigieuses. Ce taureau, au lieu de se laisser distraire par les *chulos*, s'acharna sur l'homme, le piétina, et lui donna un grand nombre de coups de corne dans les jambes ; mais s'apercevant qu'elles étaient trop bien défendues par le pantalon de cuir garni

de fer, il se retourna et baissa la tête pour lui enfoncer sa corne dans la poitrine. Alors Sevilla, se soulevant d'un effort désespéré, saisit d'une main le taureau par l'oreille, de l'autre il lui enfonça les doigts dans les naseaux, pendant qu'il tenait sa tête collée sous celle de cette bête furieuse. En vain le taureau le secoua, le foula aux pieds, le heurta contre terre ; jamais il ne put lui faire lâcher prise. Nous regardions avec un serrement de cœur cette lutte inégale. C'était l'agonie d'un brave ; on regrettait presque qu'elle se prolongeât ; on ne pouvait ni crier, ni respirer, ni détourner les yeux de cette scène horrible ; elle dura près de *deux minutes*.

2 Quand le taureau ne répond plus suffisamment, vient pour le matador l' « heure de la vérité ». Avec sa *muleta*, il place la bête dans la position la plus propice à l'estocade : bien d'aplomb sur les quatre pieds et tête légèrement baissée.
Cela pour que l'épée puisse pénétrer profondément dans la cage thoracique et provoquer une mort rapide.
Une fois le taureau « cadré », le matador placé devant lui ajuste son coup, s'élance et plonge l'épée entre les deux épaules en déviant le coup de corne vers sa droite avec la *muleta*. C'est ce qu'on appelle le *volapié*.
Une autre façon d'estoquer, maintenant peu usitée, consiste à « recevoir » la charge du taureau après l'avoir déclenchée avec la *muleta*. C'est l'estocade *a recibir.*
Le danger pour l'homme est extrême si (comme Andaluz le fait ici) il estoque suivant les règles ; car durant une seconde il est à tel point sur les cornes qu'il ne peut pas les contrôler, quelle que soit sa sagacité.
L'estocade n'a de vrai mérite que si la règle est strictement appliquée : voilà Carlos Arruza qui s'élance droit, s'abat sur le garrot puis s'échappe après avoir logé l'épée.
Plusieurs trucs permettent d'estoquer à moindres frais : décocher le coup de côté ; s'échapper par avance ; pousser sur le fer une fois la corne passée.

Quand le taureau est lent à s'écrouler, les subalternes essayent généralement d'éviter au matador une nouvelle intervention en faisant tourner le taureau pour que l'hémorragie se produise plus rapidement.
Si le taureau frappé à mort est tombé, un comparse l'achève au poignard. S'il est resté debout, c'est au matador qu'il revient de donner le coup de grâce, avec une épée spéciale dont il engage la pointe entre les deux premières vertèbres cervicales.
La dépouille est traînée hors de l'arène avant la sortie du taureau suivant.
Le matador s'en est bien tiré : un beau travail de *muleta* et une mort rapide. L'oreille – voire même la queue – du taureau lui sera octroyée, ainsi que le demandent les mouchoirs qui s'agitent.

❸ Le corps en arc de cercle, la poitrine offerte, les escarpins traînant sur le sable, la muleta basse, pareille à une traîne de cour, le torero brave à présent l'ambassadeur avec superbe : « ho, ho, toro ! » La bête, immobile et comme médusée, écoute. Elle regarde l'étrange provocateur. C'est alors que se présente le chef qui charme, qui commande, qui parle et qui parfois s'imagine entendre une réponse [...], la démarche liturgique du prêtre. Il commence la *faena* – suite de passes où le cercle des arènes va se réduire autour du couple jusqu'à ne plus être qu'un anneau nuptial. La pauvre dupe comprendra le leurre et s'y soumettra comme une victime exigée par l'oracle grec. D'où vient qu'un sort iphigéniste ne révolte personne ? D'où vient que nos nerfs l'acceptent et que tout un peuple y souscrive ? [...] Ce ne pourrait être sans un secret qui sacre un crime en rite et le transcende, secret que la course du premier Mai m'a chuchoté à l'oreille. En réalité, il n'y a ni lutte, ni duel entre l'homme et la bête, mais la formation d'un couple isolé par le silence d'une double hypnose, unifié par la mise en œuvre d'un sacrement ancestral sur lequel aucune règle n'a plus prise.

❹ Depuis le temps que je patiente
Dans cette chambre noire
J'entends qu'on s'amuse et qu'on chante

Au bout du couloir ;
Quelqu'un a touché le verrou
Et j'ai plongé vers le grand jour
J'ai vu les fanfares, les barrières
Et les gens autour

Dans les premiers moments j'ai cru
Qu'il fallait seulement se défendre
Mais cette place est sans issue
Je commence à comprendre
Ils ont refermé derrière moi
Ils ont eu peur que je recule
Je vais bien finir par l'avoir
Cette danseuse ridicule...

Est-ce que ce monde est sérieux ?
Est-ce que ce monde est sérieux ?

Andalousie je me souviens
Les prairies bordées de cactus
Je ne vais pas trembler devant
Ce pantin, ce minus !
Je vais l'attraper, lui et son chapeau
Les faire tourner comme un soleil
Ce soir la femme du torero
Dormira sur ses deux oreilles

Est-ce que ce monde est sérieux ?
Est-ce que ce monde est sérieux ?

J'en ai poursuivi des fantômes
Presque touché leurs ballerines
Ils ont frappé fort dans mon cou
Pour que je m'incline
Ils sortent d'où ces acrobates
Avec leurs costumes de papier ?

Textes et images

J'ai jamais appris à me battre
Contre des poupées

Sentir le sable sous ma tête
C'est fou comme ça peut faire du bien
J'ai prié pour que ça s'arrête
Andalousie je me souviens
Je les entends rire comme je râle
Je les vois danser comme je succombe
Je pensais pas qu'on puisse autant
S'amuser autour d'une tombe

Est-ce que ce monde est sérieux ?
Est-ce que ce monde est sérieux ?

Si, si hombre, hombre
Baila, baila
Hay que bailar de nuevo
Y mataremos otros
Otras vidas, otros toros
Y mataremos otros
Venga, venga a bailar…
Y mataremos otros

Pour approfondir

✣ Étude des textes

Savoir lire

1. Mérimée esquive-t-il l'horreur du spectacle de la corrida ? Vous semble-t-il à l'aise avec la fascination qu'elle exerce sur lui ?
2. Le texte de Leiris était destiné à accompagner les images d'un documentaire consacré à la tauromachie : quels en sont les indices ? Ce texte livre-t-il une image violente, cruelle, pathétique ou tragique de la corrida ? Quelle conception cherche-t-il à imposer ?
3. Identifiez les images sacrées et nuptiales dans le texte de Cocteau. Qu'est-ce qu'un « sort iphigéniste » ? Quel est le rôle de cette allusion à la mythologie grecque dans cette évocation de la corrida ?

5

6

4. Depuis quel point de vue est envisagée la corrida dans le texte de F. Cabrel ? En quels termes sont évoqués les toreros et l'arène ? Quelle image contribuent-ils à en donner ? Pourquoi le narrateur précise-t-il : « Ce soir la femme du torero / Dormira sur ses deux oreilles » ?

Savoir faire

5. En vous appuyant sur les quatre textes, racontez une corrida à la première personne du singulier, du point de vue du torero.
6. Vous êtes confronté à M. Leiris. Que pourriez-vous opposer à sa conception de la corrida ? Rédigez votre discours sous une forme argumentée.

✣ Étude des images

Savoir analyser

1. Comment est habillé le toréador sur la photographie de Philippe Caron ? Que tient-il dans sa main ? Qu'est-il en train d'effectuer ? Que voit-on du taureau ? Quels sont les instruments plantés sur son dos ? Pourquoi cette photographie donne-t-elle plus l'impression d'assister à une forme de danse qu'à une lutte à mort ?
2. Que s'apprête à faire le torero sur le lavis de Picasso ? Quels éléments assurent l'agressivité et la violence de l'image ? Quel est l'effet créé par le recours à l'encre de Chine, à l'exclusion de toute autre couleur ?

Savoir faire

3. Qui est Nimeño II ? Quels autres toréadors mythiques ont marqué l'histoire de la corrida ? Vous présenterez le résultat de vos recherches sous forme d'exposé oral.
4. Vous assistez, au cours d'une fête, au spectacle d'un homme et d'une femme dansant le tango. Vous décrirez leur danse comme s'il s'agissait d'une corrida.

Vers le brevet

Sujet 1 : *Carmen*, chapitre 3, ligne 597 (« Le matin nous avions fait nos ballots ») à 623 (« Voilà, Monsieur, la belle vie que j'ai menée »)

Questions

I - Le récit

1. Identifiez les différents temps du passé utilisés par Mérimée. Le temps de l'histoire coïncide-t-il avec le moment de la narration ? Comment justifier cependant le double usage du présent, l. 611-612 ? Quelle est ici, la valeur de ce temps ?
2. Relevez tous les marqueurs temporels utilisés dans ce passage. L'auteur y emploie-t-il d'autres types de connecteurs ?
3. Identifiez, au sein des séquences dialoguées, les différentes propositions incises. Comment interpréter la différence des temps utilisés dans les deux propositions : « me cria Garcia » et « me criait Carmen » ? Quelle est, dans le dernier cas, la valeur de l'imparfait ? En quoi contribue-t-elle à créer un climat oppressant ?
4. Quels termes évoquent, dans l'ensemble du passage, la panique et la précipitation des personnages ?

II - Les personnages

1. Par qui la narration est-elle prise en charge ? Celle-ci est-elle refermée sur elle-même ou explicitement adressée à un destinataire ?
2. Les personnages font-ils l'objet d'une description ? Relevez les adjectifs utilisés pour les caractériser. Sont-ils nombreux ? Quel personnage qualifient-ils ?

3. Comment se trouve exprimée la brutalité de Garcia ? Pourquoi le personnage tient-il à achever Remendado de douze balles dans la tête ? Qu'est-ce que cette notation nous apprend sur son caractère ?
4. « Quand on est en présence d'une femme, il n'y a pas de mérite à se moquer de la mort » : à quelle femme le narrateur fait-il ici allusion ? En quoi la présence d'une femme implique-t-elle le fait de se moquer de la mort ? Qu'en déduisez-vous des rapports entretenus par le narrateur avec la femme en question ?
5. « Je jetai mon paquet. [...] Jette-le ». Que désigne le pronom « le » utilisé par Carmen ? Que déduisez-vous de ce parallèle ? Quel indice formel suggère par ailleurs que Carmen s'allie avec Garcia contre le narrateur ?

III - L'art de la suggestion

1. « C'était la première fois que j'entendais siffler les balles, et ça ne me faisait pas grand-chose » : quel lien logique unit les deux propositions indépendantes ? Quelle conjonction de coordination pourrait l'exprimer plus clairement que *et* ? Réécrivez ce passage en établissant un lien de subordination entre les deux propositions.
2. « Nous ne pouvions conserver nos bêtes, et nous nous hâtâmes de défaire le meilleur de notre butin » : répondez aux mêmes questions.
3. « Voilà, Monsieur, la belle vie que j'ai menée » : le narrateur pense-t-il ce qu'il dit dans cette dernière phrase ? quelle figure de style utilise-t-il ?
4. Par quels termes sont évoqués, dans l'ensemble du texte, les thèmes de la violence et de la mort ? Le narrateur précise que Remendado a été frappé « dans les reins » : quel est l'effet créé par cette notation ? Le texte laisse-t-il pour autant s'instaurer une atmosphère pathétique ? Justifiez votre réponse.

Réécriture

« Imbécile ! me cria Garcia, qu'avons-nous affaire d'une charogne ? Achève-le et ne perds pas les bas de coton.
– Jette-le ! » me criait Carmen. »
En procédant à toutes les modifications nécessaires, réécrivez ces deux répliques au discours indirect, en les inscrivant dans un repère passé.

Rédaction

Le soir venu et le danger passé, le narrateur retourne sur les lieux de la débâcle pour enterrer Remendado. Il raconte cette scène à un ami, en alternant passages narratifs et passages descriptifs et en évoquant les sentiments et les souvenirs que cette situation a éveillés en lui.

Petite méthode pour la rédaction

Il s'agit ici de raconter la suite des événements évoqués dans le texte, en se plaçant du point de vue du narrateur.

Vous devrez donc tenir compte :
– de tous les éléments du texte qui éclairent la situation que vous devez évoquer (décor, circonstances passées, noms de personnages et nature des relations les unissant) ;
– de la nécessité de vous exprimer à la première personne ;
– de ce qu'on peut savoir, dans le texte, du caractère du narrateur ;
– du style et du niveau de langue qu'il utilise dans le passage.

Sujet 2 : Théophile Gautier, « Carmen », *Émaux et Camées*, 1852.

Questions

I - Le portrait

1. Qui parle dans ce texte ? À une exception près, que vous identifierez, par quel temps passe la description ? Quelle est sa valeur ?
2. S'agit-il ici d'un portrait en action ? Quels éléments assurent le caractère statique du portrait ? À l'inverse, quels éléments assurent son dynamisme ?
3. Identifiez les quatre couleurs utilisées par l'auteur pour peindre son sujet. À quelles caractéristiques physiques de Carmen s'attache le poème ? Quels détails peuvent nous renseigner indirectement sur le caractère de la jeune femme ? Pourquoi ?
4. Qu'est-ce qu'une « moricaude » ? De quel niveau de langue ce terme relève-t-il ? Les termes du dernier vers appartiennent-ils à ce même niveau de langue ?
5. Relevez les mots contribuant à imposer une image favorable de Carmen, puis les mots contribuant à en imposer une image défavorable. Le portrait vous semble-t-il élogieux ? Discutez son ambivalence.
6. Repérez les différentes antithèses et les différents paradoxes structurant le poème.
7. L'auteur s'emploie-t-il à proposer un portrait homogène de Carmen ? En quoi ce choix contribue-t-il à la rendre fascinante ?

II - La tentatrice

1. À quel pays se trouve associée l'évocation de Carmen ? Relevez les différents éléments du texte renvoyant à ce pays et assurant ainsi l'exotisme du portrait. En quoi ces éléments exotiques se trouvent-ils régulièrement érotisés par l'auteur ?

2. Quels termes suggèrent la sensualité de Carmen ? Qu'est-ce qu'une « alcôve » ? Qui est Vénus ? Comment comprenez-vous les deux derniers vers ? À quel épisode mythologique font-ils référence ?
3. Relevez les différentes allusions au domaine de la religion et du sacré. Sont-elles toutes sur le même plan ? Laquelle est sacrilège ? Pourquoi ? Quelle image de Carmen ces allusions imposent-elles ?

III - La poésie

1. Quel est le type de vers utilisé dans le poème ? Comment ces vers s'organisent-ils ? Quel type de rimes emploie l'auteur ?
2. « Une bouche aux rires vainqueurs, / Piment rouge, fleur écarlate » : à quel mot du poème renvoient « piment » et « fleur » ? Quelle raison motive ce rapprochement ? Quel procédé littéraire l'auteur utilise-t-il ici ? Quels autres exemples de ce procédé pouvez-vous trouver dans le texte ?
3. De quelle couleur la couleur pourpre se rapproche-t-elle ? À quels mots du poème le terme « pourpre » se trouve-t-il donc associé ? Que symbolise par ailleurs la pourpre ? En quoi le mot « pourpre » peut-il résonner aussi avec l'adjectif « altier » ?
4. « Au sang des cœurs » : à quoi renvoie ici l'évocation des cœurs ? Comment comprenez-vous l'image utilisée ? Quel procédé littéraire l'auteur utilise-t-il ici ?

Réécriture

1. Quel adjectif correspond, en français, au substantif « beauté » ?
2. Quel adjectif correspond, en français, au substantif « satiété » ?
3. Réécrivez la cinquième strophe du poème en remplaçant les substantifs « beauté » et « satiété » par les adjectifs qui leur correspondent, et en conjuguant les verbes « battre » et « rendre » au passé simple.

Rédaction

Deux amis se rencontrent et se disputent au sujet de Carmen, l'un s'attachant à l'accabler et l'autre à la défendre. Rédigez leur dialogue, en donnant une forme argumentée à leur échange.

Petite méthode pour la rédaction

Il s'agit ici de donner la forme d'un dialogue amical à la confrontation des différents points de vue évoqués par le poème de Théophile Gautier.

Vous devrez donc tenir compte :

– de tout ce que le texte vous apprend au sujet de Carmen (ses qualités, ses défauts et leur ambivalence) ;

– de la relation d'amitié existant entre les deux interlocuteurs (leur échange devra donc être naturel et bienveillant jusque dans son éventuelle vivacité) ;

– de la nécessité de les faire parler à la première personne du singulier et de les faire constamment se répondre l'un à l'autre, de manière à ce que chaque réplique rebondisse clairement sur la précédente ;

– de la consigne vous imposant enfin de donner un caractère argumentatif à l'échange.

Outils de lecture

Analepse : fait de revenir en arrière, dans le déroulement d'un récit.

Antithèse : figure destinée à faire valoir le contraste de deux éléments opposés.

Dénouement : événement venant dénouer une intrigue et marquant ainsi la résolution de l'action.

Focalisation : point de vue depuis lequel est conduite la narration. On distingue la focalisation zéro (dans le cas d'un narrateur omniscient), la focalisation interne (dans le cas d'un narrateur ne disant jamais que ce que sait tel ou tel personnage) et la focalisation externe (dans le cas d'un narrateur évoquant le comportement d'un personnage dont il ne peut connaître les sentiments et les pensées).

Ironie : distance prise par un locuteur quelconque envers l'énoncé qu'il met en scène. Cette distance est maximale dans le cadre de l'ironie par antiphrase, où le locuteur dit le contraire de ce qu'il pense.

Mise en abîme : système d'emboîtement narratif, consistant en l'enchâssement d'un récit pris en charge par un narrateur second, dans un récit-cadre pris en charge par le narrateur principal.

Narrateur : personne ou personnage « racontant », c'est-à-dire assumant la responsabilité le récit. On distinguera le narrateur hétérodiégétique (qui n'est pas un personnage de l'action, le récit se faisant donc à la troisième personne du singulier) du narrateur homodiégétique (qui est un témoin participant à l'action, le récit se faisant donc à la première personne du singulier). Le narrateur héros de l'action qu'il raconte est dit autodiégétique.

Niveau de langage : manière de s'exprimer. On en distingue généralement trois : le niveau de langage familier ou populaire (ex. : *j'me suis pris une de ces claques !*), le niveau de langage courant (ex. : *j'ai très mal pris mon échec*), et le niveau de langage soutenu (ex. : *j'ai essuyé un cruel revers*).

Nouvelle : forme de roman abrégé au cadre réaliste (contrairement à celui du conte), et dont l'action resserrée suit le plus souvent le développement d'une situation de crise jusqu'à sa résolution.

Omniscient : qui sait tout.

Paradoxe : affirmation contradictoire, heurtant l'opinion courante.

Pathos : forme de débordement émotionnel souvent larmoyante, toujours poignante.

Personnage éponyme : qui donne son nom à une œuvre.

Portrait : description physique et / ou morale d'un être animé. On appelle prosopographie une description physique, et éthopée une description morale.

Prolepse : anticipation narrative. Dans le déroulement d'un récit, fait d'insérer une scène qui a pourtant eu lieu plus tard.

Réalisme : école littéraire et artistique apparue au XIXe siècle en réaction contre le lyrisme romantique, et aspirant à une représentation objective du monde réel, sans préjugés ni tabous.

Réplique : partie d'un dialogue prononcé par un personnage lorsque son ou ses interlocuteurs ont cessé de parler.

Romanesque : propre au roman, en tant que genre littéraire ; riche d'aventures extravagantes.

Romantisme : courant artistique européen apparu au cours du XVIIIe siècle, et valorisant le sentiment, le mystère et la liberté créatrice contre la raison et les règles du classicisme.

Satire : genre littéraire remontant à l'Antiquité, et choisissant l'arme du rire pour s'attaquer aux vices ou aux ridicules.

Sentence : formulation frappante d'une assertion générale porteuse d'une vérité le plus souvent morale.

Toponyme : nom d'un lieu.

Tragique : nature de ce qui semble dicté par la fatalité, et de ce dont la représentation suscite terreur et pitié.

Bibliographie et filmographie

Œuvres de Mérimée

Correspondance générale, Privat, Toulouse, 1941-1964.

Théâtre de Clara Gazul, romans et nouvelles, éd. par J. Mallion et P. Salomon, Paris, Gallimard, Bibliothèque de la Pléiade, 1979.

La Vénus d'Ille, *Colomba, Mateo Falcone*, éd. P. Berthier, Paris, Gallimard, Folio, 2000.

Sur Mérimée et son œuvre

Trahard Pierre, *Mérimée et l'art de la nouvelle* (1923), Paris, Nizet, 1952.

Baschet Robert, *Du romantisme au second Empire. Mérimée*, Paris, Nouvelles Éditions latines, 1959.

Léon Paul, *Mérimée et son temps*, Paris, PUF, 1962.

Europe, numéro spécial *Prosper Mérimée*, sept. 1975.

Darcos Xavier, *Mérimée*, Paris, Flammarion, coll. « Grandes Biographies », 1998.

Sur *Carmen*

Hoffmann Léon-François, *Romantique Espagne. L'image de l'Espagne en France de 1800 à 1850*, Paris, PUF, 1961.

Maingueneau Dominique, *Carmen, les racines d'un mythe*, Paris, Éditions du Sorbier, 1984.

Ravoux-Rallo Élisabeth *(et al.)*, *Carmen*, Paris, Autrement, coll. « Figures mythiques », 1998.

Discographie

CD

Carmen, direction Georges Prêtre, Opéra de Paris, avec Maria Callas, EMI, 1964.

Carmen, direction Claudio Abbado, London Symphony Orchestra, avec Teresa Berganza et Placido Domingo, Deutsche Grammophon, 1978.

Carmen, direction Lorin Maazel, Orchestre national de France, avec Julia Migenes Johnson et Placido Domingo, Érato, 1984.

Bibliographie et filmographie

Carmen, direction Seiji Ozawa, Orchestre national de France, avec Jessye Norman et Neil Shicoff, Philips, 1989.

Carmen, direction Michel Plasson, Orchestre national du Capitole de Toulouse, avec Angela Gheorghiu et Roberto Alagna, EMI, 2003.

Carmen, direction Alain Lombard, Orchestre de Bordeaux, avec Béatrice Uria-Monzon, 2003.

DVD

Carmen, direction Herbert von Karajan, Orchestre philharmonique de Vienne, avec Grace Bumbry [1967], Studio Canal, 2005.

Carmen, direction James Levine, Metropolitan Opera Chorus and Orchestra, avec Agnès Baltsa et José Carreras [1989], Universal Music, 2001.

Filmographie

Carmen, Cecil B. De Mille, avec Géraldine Farrar, États-Unis, 1915.

Charlie Chaplin's Burlesque on Carmen (Charlot joue Carmen), Charlie Chaplin, avec Edna Purviance, États-Unis, 1916.

Carmen, Ernest Lubitsch, avec Pola Negri, Allemagne, 1918.

Carmen, Jacques Feyder, avec Raquel Meller, France, 1926.

The Loves of Carmen, Raoul Walsh, avec Dolores Del Rio, États-Unis, 1927.

Carmen, Christian-Jaque, avec Viviane Romance et Jean Marais, 1943.

The Loves of Carmen, King Vidor, avec Rita Hayworth, États-Unis, 1948.

Carmen Jones, Otto Preminger, avec Dorothy Dandridge, États-Unis, 1954.

Carmen, Carlos Saura, avec Laura del Sol et Antonio Gades, musique de Paco de Lucia, Espagne, 1983.

La Tragédie de Carmen, Peter Brook, série de trois films avec Hélène Delavault, Zehava Gal et Eva Saurova, France, 1983.

Prénom Carmen, Jean-Louis Godard, avec Marushka Detmers, France-Allemagne-Grande-Bretagne, 1984.

Carmen, a Hip Hopera, Robert Townsend et Missy Elliot, avec Beyoncé Knowles, États-Unis, 2001.

Carmen, Vincente Aranda, avec Paz Vega, Espagne, 2003.

Carmen de Khayelitscha, Mark Dornford-May, avec Pauline Malefane, Afrique du Sud, 2006.

Crédits photographiques

Couverture	**Alain Boyer**
7	Ph. Coll. Archives Larbor
11	Ph. Coll. Archives Larbor
17	Ph. Coll. Archives Nathan/DR/
20	Ph. Coll. Archives Nathan © Adagp, Paris 2008
36	Ph. Coll. Archives Larbor © Adagp, Paris 2008
47	Ph. Coll. Archives Larbor
50	Ph. Coll. Archives Larbor.
70	Ph. Coll. Archives Nathan © Adagp, Paris 2008
96	The Essanay Film Manufacturing Company – Ph. Coll. Archives Larbor/DR
97	Château Sforza, Milan -Ph. © Archives Larbor
107	Ph. Coll. Archives Nathan © Adagp, Paris 2008
133	Ph. Coll. Archives Larbor
134	Ph. © Prod DB © Gaumont/DR/
141	Ph. © Philippe Caron/Sygma/Corbis
142	Musée Picasso, Paris – Ph. © J.G. Berizzi/RMN © Sucession Picasso

Direction de la collection : Carine Girac - Marinier
Direction éditoriale : Claude Nimmo
Édition : Marie-Hélène CHRISTENSEN
Lecture-correction : service lecture-correction LAROUSSE
Recherche iconographique : Valérie PERRIN, Marie-Annick REVEILLON
Direction artistique : Uli MEINDL
Couverture et maquette intérieure : Serge CORTESI, Sylvie SÉNÉCHAL, Uli MEINDL
Responsable de fabrication : Marlène DELBEKEN

Photocomposition : CGI
Impression : Rotolito Lombarda (Italie)
Dépôt légal : Janvier 2008 – 301484/08
N° Projet : 11036083 – Juin 2017